1 Un peu d'influence

Il était environ une heure du matin. L
bifurcation, où plusieurs wagons venu
accrochés. Pendant que nous att
traversèrent le train, examinant les pa[...] des voyageurs. Tout le monde était fatigué, ébouriffé, avait les yeux bouffis (gonflés).

Quand ce fut mon tour, je tendis mon passeport. Le policier le prit, l'examina de près, puis il le montra à son collègue. Ils discutèrent, regardèrent ensemble le passeport, hochèrent la tête et parurent prendre une décision. L'un d'eux m'adressa la parole en espagnol. Je ne comprenais pas tout ce qu'il disait, mais il m'était clair qu'on me demandait de quitter le train et de voir un officier de la sûreté, parce que mon passeport n'était pas valide. J'essayai d'expliquer qu'il était bien en règle, et je leur montrai la page où le mot «Espagne» était écrit. C'était inutile; les policiers étaient polis, mais ils insistèrent.

Les autres voyageurs du compartiment avaient suivi cette scène avec un vif intérêt. J'allais prendre ma valise, lorsque l'un d'eux, un homme aux cheveux gris, se tourna vers moi et dit en français:

«Monsieur, si vous voulez, je vous servirai d'interprète.»

Je le remerciai. Il parla rapidement en espagnol aux policiers. De toute évidence c'était quelqu'un d'important. Mon passeport me fut rendu et les policiers se retirèrent.

2 Le bouc

C'était une nuit claire, glaciale. Comme d'habitude nous étions tous dans la cuisine. Ma mère et mes soeurs se serraient autour du feu, bavardant de choses et d'autres. Moi, j'étais assis à la table. Vaincu par la fatigue, j'avais repoussé mon livre d'aventures et, posant ma tête sur mes mains, je m'assoupissais.

Tout à coup j'entendis Marie qui disait: «Chut! » Elle avait entendu quelque chose. Je levai la tête et prêtai l'oreille, moi aussi. Mais je n'entendais que les hiboux qui se répondaient les uns aux autres dans les bois, et le léger bruissement des arbres. De temps à autre un courant d'air faisait vaciller la flamme des bougies.

Puis Sarah tourna brusquement la tête et murmura: «Écoutez! » Cette fois nous l'entendîmes tous, un cliquetis métallique sur le sol durci par le gel, le bruit d'une chaîne qu'on traînait.

Nous échangeâmes des regards effrayés. Maman se leva, alla verrouiller la porte et souffla les bougies. «Taisez-vous, dit-elle. Ne bougez pas.»

Au bout de quelques instants, avec le (s'ajoutant au) cliquetis de la chaîne qui devenait de plus en plus fort, nous entendîmes un autre bruit (autre chose); c'était un bruit de sabots. Je me levai d'un bond, me précipitai à la fenêtre et écartai le rideau.

Dans le clair de lune je vis passer la bête, la longue tête surmontée de cornes recourbées, la barbiche, le corps velu. C'était le bouc du père Croutard, qui errait après avoir brisé sa chaîne.

3 Promenade matinale

Cette nuit-là Lassalle dormit mal. Il s'était couché tard, persuadé qu'il allait bientôt s'endormir profondément, mais cette question le tracassait toujours. Couché sur le dos, les yeux fermés, il essaya de dormir, mais ses sens étaient en éveil, et il entendait les moindres bruits de l'hôtel. Entre sa chambre et celle d'à côté il n'y avait qu'une mince cloison, et la personne qui occupait la chambre n'arrivait pas à dormir non plus. Peut-être était-ce à cause de la chaleur. A un certain moment Lassalle entendit grincer les ressorts du lit, puis le bruit que faisait quelqu'un en traversant (de quelqu'un traversant) la pièce, puis un tintement de verre. De toute évidence son voisin devait avoir soif, ou alors il prenait un comprimé.

Tout à coup Lassalle entendit une série de détonations sèches. Il sursauta, ouvrit les yeux et vit qu'il faisait grand jour. Ce qu'il avait entendu, c'était le moteur d'une barque de pêche. Il avait dû dormir quatre ou cinq heures.

Il décida de se lever tout de suite. Il enfila sa chemise, son pantalon, son veston, glissa ses pieds dans ses pantoufles, descendit l'escalier et sortit. C'était une matinée splendide; il faisait déjà chaud. Quelques personnes descendaient vers le petit port, où le *Mouette* attendait, prêt à faire la première traversée de la journée. Lassalle suivit inconsciemment le même chemin; c'était la seule chose à faire.

4 Jacques

Après déjeuner j'étais descendue sur la plage, j'avais étendu ma serviette sur le sable et je m'étais allongée pour prendre un bain de soleil. J'avais dû m'endormir car, quand je rouvris les yeux, je vis devant moi, dans la crique, un petit voilier. Un jeune homme, vêtu seulement d'un caleçon de bain, y était assis. Je n'avais rien entendu, malgré le bruit qu'il avait dû faire (bien qu'il eût sûrement fait du bruit) en amenant les voiles et en jetant l'ancre.

Je me redressai. Le jeune homme me regardait en souriant. Il me fit un petit signe de la main et cria:

«Puis-je venir à terre vous rejoindre?

– Si vous voulez,» répondis-je.

Il enjamba le plat-bord de son bateau et marcha dans l'eau jusqu'à la plage. Il était grand et beau. Il vint s'asseoir à mes côtés et commença à bavarder.

Il s'appelait Jacques. C'était un (il était) étudiant en droit, en vacances avec sa mère sur une petite plage située à deux ou trois kilomètres de là.

Enfin il me proposa de faire avec lui une petite promenade en mer. Nous montâmes à bord de son bateau, il hissa les voiles, leva l'ancre, prit la barre, et nous commençâmes à glisser doucement sur l'eau. C'était délicieux.

Nous retournâmes à la crique vers six heures. Je dis à Jacques que je devais rentrer.

«Permettez-moi de faire une partie du chemin avec vous,» dit-il.

Comme nous marchions sous les arbres, il s'arrêta, me prit dans ses bras et m'embrassa. A ce moment même j'entendis la voix de ma mère: «Anne! »

5 Rencontre dans la nuit (le noir)

Il faisait nuit quand Mence arriva à la maison abandonnée (déserte). De temps à autre les éclairs de l'orage qui s'éloignait illuminaient les murs et les fenêtres brisées. Quelque part dans cette maison, il en était sûr, son homme se cachait.

Après un moment d'hésitation, Mence sortit son pistolet de sa poche et poussa la porte. A l'intérieur tout était silencieux. Il fit deux pas dans la pièce, s'arrêta et écouta encore. Il regarda autour de lui, essayant de découvrir des formes dans le noir. Dans le coin opposé il voyait (pouvait voir) le rectangle plus clair de la fenêtre. Il fit encore deux pas en avant. Puis, soudain, une voix d'homme prononça:

«C'est ça, monsieur Mence, avancez encore. Allez là-bas près de la fenêtre, pour que je voie votre silhouette. Pas de bêtises. Je vous préviens que je suis armé, moi aussi.»

En même temps la lourde porte se referma.

Arrivé à la fenêtre, Mence se retourna. A ce moment un éclair illumina la pièce et Mence vit Bardino adossé à la porte. Il avait les poings serrés, mais il ne portait pas d'arme.

«Écoutez, dit Mence à voix basse, restons calmes. Je désire tout simplement vous parler.»

6 L'heure du déjeuner

Bouvier, qui conduisait, connaissait son Paris aussi bien que n'importe quel chauffeur de taxi. Pour éviter les grandes artères de la ville, il aimait prendre les petites rues à travers des quartiers tranquilles. Ce fut dans une de ces rues peu fréquentées de Neuilly qu'ils découvrirent (repérèrent) un petit restaurant où une demi-douzaine de tables étaient installées sur le trottoir derrière des arbustes verts.

«Si on déjeunait ici? proposa Linard.

– C'est une bonne idée, dit Bouvier. Ça a l'air d'un petit établissement bien convenable (ce petit établissement n'a pas l'air mal du tout).»

Il arrêta la voiture au bord du trottoir, ils descendirent et pénétrèrent dans le café. Le patron, debout derrière le bar, les salua gaiement:

«Belle journée, messieurs. Qu'est-ce que je vous sers? »

Linard commanda deux apéritifs.

«Où allons-nous manger, demanda Bouvier, ici ou dehors?

– Il fait assez chaud, répondit Linard. Moi, je préfère manger dehors, si cela vous est égal.»

Ayant fini leurs consommations, ils allèrent s'asseoir à une table sur la terrasse. Une jeune fille, vêtue d'une robe noire et d'un tablier blanc, vint les servir.

Tout était bien tranquille (C'était très calme). Il y avait peu de passants. On aurait pu être (se croire) dans n'importe quelle petite ville à cent kilomètres de Paris.

Le repas fini, ils commandèrent des fines et des cigares, et s'adressèrent des sourires complices.

7 Vingt ans après

«Quand l'avez-vous vue? demanda Marden à Roberts.

– Il y a environ trois semaines. Ayant à aller là-bas pour affaires, j'ai rendu visite à quelqu'un dans le village. J'ai ainsi appris qu'elle y habite toujours; je l'ai donc envoyé chercher et nous avons fait un brin de causette.

– Voilà plus de vingt ans que je ne l'ai vue, dit Marden, perdu dans des rêves d'un passé lointain. Elle doit avoir plus de quarante ans à présent, c'est presque une vieille femme. Comment est-elle? Je suppose qu'elle a grossi comme la plupart des femmes de ce pays.

– Eh bien, dit Roberts, elle est probablement plus grosse qu'il y a (qu'elle ne l'était il y a) vingt ans, mais c'est toujours une très belle femme.

– A cette époque, reprit Marden, c'était une si belle fille. Le soir, j'allais et venais sur la route en moto, rien que pour l'apercevoir. Quand nous sommes arrivés à mieux nous connaître, nous nous donnions rendez-vous (nous nous rencontrions) au carrefour. Je ne suppose pas que l'endroit ait changé. Je me souviens du palmier solitaire, des rizières toutes dorées dans la lumière (les feux, la lueur) du soleil couchant, des montagnes bleues dans le lointain. Ah, il y a si longtemps de cela (comme cela est loin)!

– L'amour vous fait parler en poète, rit Roberts. Ce palmier est toujours là, vous savez . . . Écoutez, mon vieux, si vous avez encore ces sentiments tendres à son égard, pourquoi n'allez-vous pas la voir? »

Marden réfléchit un instant, puis il dit:

«Oui, j'irai en taxi ce soir même. Le chauffeur malais doit connaître le chemin.»

8 Le début d'une poursuite

Le quartier était tranquille et pendant la journée il y avait peu de clients. Vers midi quatre ouvriers entrèrent. Ils avaient du pain, du saucisson et du fromage, et ils commandèrent un litre de vin rouge. Ils ne semblaient pas surpris de voir des visages nouveaux. Cependant, au bout de quelques minutes, l'un d'eux, regardant fixement Vacher, demanda:

«Qu'est devenu l'ancien patron?

– Eh bien, depuis quelque temps il n'est pas bien portant, répondit Vacher. Il est allé se reposer à la campagne. Vous le connaissez depuis longtemps?

– Quelques semaines seulement, dit l'homme. Nous ne restons pas longtemps dans le même endroit, vous savez.»

Les ouvriers partis, il ne vint plus personne. Monzie et Vacher restèrent seuls dans le café.

«Tout ce que nous pouvons faire, c'est attendre, dit Monzie. Peut-être se passera-t-il quelque chose d'intéressant. Nos oiseaux ont évidemment cherché quelque chose dans la maison. Il est possible que l'un d'eux revienne voir ce qui se passe.»

Ils se tenaient là depuis quelques minutes, lorsque soudain Monzie poussa Vacher du coude.

Un homme venait de passer sur le trottoir. Il avait regardé avec insistance dans le café, avait hésité, puis il avait fait demi-tour et s'était approché de la porte. Il était plutôt petit, avait les cheveux blonds et avait l'air d'un étranger. Il allait entrer, mais au dernier instant il se ravisa et partit très vite.

«Allez-y! dit Monzie à Vacher. Ne le perdez pas de vue. Moi, je vais appeler un taxi et vous suivre.»

9 Une dame dans l'embarras

Madame Seurel marcha jusqu'à un banc dans le petit jardin public, d'où elle pouvait voir les fenêtres du dentiste au second étage de l'immeuble.

Elle était assise là depuis plusieurs minutes, lorsqu'une jeune femme accompagnée d'un petit garçon d'environ quatre ans, vint s'asseoir à côté d'elle. L'enfant se mit à jouer avec les cailloux de l'allée, tandis que la femme regardait attentivement la rue, comme si elle attendait quelqu'un. Enfin elle se tourna vers Mme Seurel en souriant et lui dit

«Quel temps splendide! Il fait bon s'asseoir dans ce petit jardin; c'est si calme . . . Attendez-vous quelqu'un, madame?

– Non, expliqua Mme Seurel, je vais voir mon dentiste à onze heures. Je n'ai plus que cinq minutes à attendre.»

Mais la jeune femme ne parut pas l'entendre. Elle regardait fixement quelque chose dans la rue. Tout à coup elle se leva d'un bond et dit:-

«Excusez-moi, madame, voulez-vous surveiller l'enfant pendant une minute? Il faut que j'aille parler à quelqu'un.»

Elle partit très vite. Mme Seurel ne put pas s'empêcher de se retourner pour voir où elle allait. Un taxi s'était arrêté au bord du trottoir. Une des portières était ouverte. La femme arriva au taxi, y monta, la portière se ferma, et la voiture s'éloigna.

Mme Seurel resta seule avec l'enfant. Elle ne pouvait pas le laisser là, et elle avait peur de manquer son rendez-vous. Que faire?

10 Dispute dans un café

Un soir, au café, Portas, debout devant le comptoir, parlait si fort que sa voix s'élevait au-dessus des conversations dans la salle. Il était là depuis quelque temps et avait déjà beaucoup bu. C'était un de ces hommes qui, conscients de leur force physique, deviennent agressifs quand ils sont ivres.

Puis Marceau entra, accompagné d'une femme plus âgée que lui. Elle était élégante, très maquillée et couverte de bijoux (portait de nombreux bijoux). Portas ne l'avait jamais vue. Sans doute venait-elle d'arriver à l'hôtel.

Au bout de quelques minutes Marceau se leva, traversa la salle et mit la radio en marche. La musique irrita Portas qui, sans façon, alla l'éteindre (arrêter le poste). Puis il se retourna et regarda Marceau comme pour le défier.

Marceau fit semblant de ne rien remarquer et ne dit mot. Mais Portas n'était pas satisfait. Il s'avança de quelques pas et dit à Marceau d'une voix forte:

«Je n'aime pas qu'on me regarde comme ça (de cette façon).

– Mais, balbutia Marceau, je ne vous regardais pas.

– Donc je ne suis pas assez bien pour qu'on me regarde (Alors je ne vaux pas la peine qu'on me regarde). C'est ca?

– Je n'ai pas dit ça.»

Le patron crut qu'il était temps d'intervenir. Il s'approcha, parla à voix basse à Portas, le prit par le bras et l'entraîna.

11 Sa visite était-elle imprudente?

«Je viens de faire un tour» dis-je.

Elle prit mon imperméable (me prit l'imperméable des mains), le secoua à la porte et le posa (suspendit) sur une chaise devant le feu.

«Je le vois bien (C'est ce que je vois). Ôtez donc vos souliers.

– Ils sont tout à fait secs, dis-je, saisi d'une étrange panique.

– Ôtez-les.» Elle tendit la main.

«Ils sont trempés. Vous êtes fou! (Vous êtes fou, non?)

– Oui, dis-je, je ne devrais pas venir ici à cette heure.»

Elle prit mes souliers, se mit à les bourrer de (à y fourrer du) papier journal.

«Vous n'auriez pas dû venir ici du tout, dit-elle. Pas tout seul.

– Quand je vous ai téléphoné hier, on n'a pas répondu, dis-je.

Je vous avais dit que je ne rentrerais que tard. Pourquoi ne m'avez-vous pas téléphoné ce soir?

Cela n'aurait pas marché (n'aurait pas été prudent).

Pourquoi? Et, pour l'amour de Dieu, regardez-moi en face.

Dans un instant, dis-je. Mais pour le moment je n'ai pas envie de parler.»

12 Le jeune Chaplin à Paris

Un soir l'interprète vint me trouver pour me dire qu'un musicien célèbre voulait me rencontrer (faire ma connaissance) et me priait d'aller dans sa loge. L'invitation m'intéressait assez, car, avec lui dans sa loge se trouvait une fort belle dame à l'allure exotique, membre du ballet russe. L'interprète me présenta. Le monsieur me dit que mon numéro lui avait beaucoup plu, et qu'il était étonné de voir que j'étais si jeune. A ces compliments (En entendant ces compliments) je m'inclinai poliment, jetant de temps à autre un coup d'oeil furtif vers sa compagne.

«Vous êtes musicien et danseur par nature» me dit-il.

Sentant que je ne pouvais répondre à ce compliment que par un sourire aimable, je lançai un coup d'oeil à l'interprète et m'inclinai poliment. Le musicien se leva et me tendit la main; je me levai aussi (moi aussi).

«Oui, dit-il, en me serrant la main, vous êtes un vrai artiste.»

Quand nous nous fûmes éloignés, je me tournai vers l'interprète:

«Qui était la dame avec lui?

– C'est une danseuse du ballet russe, Mlle ......»

C'était un nom très long et difficile.

«Et comment s'appelait le monsieur?

– Debussy, répondit-il.

– Jamais entendu parler (Connais pas),» remarquai-je.

13 L'abbé somnolent

Après avoir regagné sa chambre, l'abbé s'endormit presque immédiatement et ne se réveilla que lorsque le frère Marc, à l'aube, entra sur la pointe des pieds dans sa cellule, avec une croûte de pain et un verre de lait de chèvre. Il avait très bien dormi, et il n'y avait donc aucune raison pour excuser sa somnolence le lendemain matin quand Baird le trouva assis, à moitié endormi, sur le parapet blanc, une canne à pêche à la main. Le soleil brillait de tout son éclat. Baird s'approcha sur la pointe des pieds et plongea son regard dans l'eau bleue.

«Vous n'avez plus d'appât,» dit-il gentiment. L'abbé gémit. Dans l'autre main il tenait un livre qu'il essayait de lire entre deux petits sommes.

«Je déteste (J'ai horreur de) la pêche, dit-il. Je ne sais vraiment pas pourquoi je fais ça. Pour m'imposer une discipline, je suppose.»

Tournant la tête, il hurla (rugit):

«Calypso, viens changer mon appât.»

Baird s'assit sur le mur et lança distraitement des cailloux dans la mer, en attendant que son ami prît quelque chose.

«Dans une demi-heure, dit-il, il faut que j'aille jusqu'à Cefalù. Voulez-vous venir? »

L'abbé Jean accepta (dit qu'il voulait bien).

«Mais, dit-il, promettez de ne pas révéler que la Cité dans le Rocher est une véritable découverte.»

Baird donna sa promesse.

14 Premier séjour en France

Tony avait passé très peu de sa vie à l'étranger. A l'âge de dix-huit ans, avant d'aller à l'université, il avait été mis en pension, pour l'été, chez un monsieur d'un certain âge près de Tours . . . dans une maison de pierre grise entourée de vignes. Il y avait un épagneul empaillé dans la salle de bains. Le vieillard l'avait nommé «Stop», parce que c'était chic à cette époque de donner aux chiens un nom anglais. Tony avait roulé à bicyclette sur des routes droites et blanches pour visiter les châteaux; il emportait des petits pains et du veau froid attachés à l'arrière de sa machine (son engin), et à travers le papier la poussière fine s'y infiltrait et grinçait sous la dent.

Il y avait là deux autres jeunes Anglais et par conséquent il avait appris peu de français. L'un d'eux tomba amoureux et l'autre s'enivra de Vouvray mousseux pour la première fois dans une foire qui avait eu lieu (qui s'était tenue) à la ville. Ce soir-là Tony gagna un pigeon vivant dans une tombola; il le mit en liberté et plus tard vit le propriétaire de la baraque qui le reprenait (rattrapait) avec un filet à papillon.

15 Papiers personnels (privés)

Mme de Peyrus se leva, et je compris que c'était pour moi le signal du départ. Puis, tout à coup, elle ouvrit avec une clef un tiroir au bas du coffret et en sortit une liasse de papiers scellée.

«Je ne sais pas pourquoi je fais ça, dit-elle, mais j'ai confiance en vous. Prenez ces papiers et lisez-les, et alors vous verrez si ce que je vous ai raconté est vrai. Je les ai trouvés avec les affaires d'Honorée à Sohag, quand elle est morte.»

Je retournai à pied à Shepheard's (à l'hôtel Shepheard). Les rues étaient désertes, à part quelques soldats, car il était plus de deux heures du matin. Tout en montant les marches de l'hôtel je résolus, bien qu'il fût tard, de lire ces papiers que m'avait donnés Mme de Peyrus. Les lunettes perchées au bout du nez, un veilleur de nuit coiffé d'un tarbouch dormait au bureau de réception. Quand il me vit il reprit ses esprits (il ressuscita) à une vitesse tout à fait inattendue.

«On vous a cherché, dit-il. L'heure de l'avion a été changée. Il partira ce matin à quatre heures.»

Au lieu de lire les papiers d'Honorée Delaroche, je dus faire mes valises de façon à être prêt à m'envoler pour l'Angleterre une heure et demie plus tard. Je ne revis plus jamais Mme de Peyrus.

16 Vols (Larcins) mystérieux

Quand elle retourna à la maison, elle se mit à coudre sur la véranda. Quittant un instant sa chaise pour aller chercher un verre d'eau, elle vit que sa corbeille à ouvrage avait disparu. D'abord elle ne put pas le croire. Se méfiant de ses propres sens, elle chercha partout sa corbeille qui, elle le savait fort bien, était sur la véranda à peine quelques instants auparavant. Cela signifiait qu'un indigène rôdait dans la brousse à deux cents mètres de là peut-être, guettant ses mouvements. Ce n'était pas une pensée très agréable. Une vieille inquiétude (Son inquiétude d'autrefois) l'envahissait et, de nouveau, le nom de Tembi lui revint à l'esprit. Elle se dirigea vers la cuisine et dit au boy (au cuisinier):

«As-tu des nouvelles de Tembi ces jours-ci? »

Mais on n'avait pas de nouvelles de lui, semblait-il. Il était «aux mines d'or.» Depuis des années ses parents n'avaient plus de ses nouvelles.

«Mais pourquoi une corbeille à ouvrage? murmura Jane pour elle-même, incrédule. Pourquoi courir un tel risque pour si peu (si peu de chose)? C'est insensé (de la folie).»

Cet après-midi-là, alors que les enfants jouaient au jardin et que Jane dormait sur son lit, quelqu'un entra silencieusement dans la chambre et emporta son grand chapeau de jardin, son tablier et la robe qu'elle avait portée ce matin-là.

Quand Jane découvrit tout cela à son réveil, elle se mit à trembler, en partie de peur. Elle était seule à la maison et elle avait l'impression agaçante qu'on la surveillait.

17 Arrêté

Tard dans ce même après-midi, on m'emmena à une gare de chemin de fer. J'étais accompagné par deux hommes dont l'un était l'interprète. Ils croyaient sans doute que je n'avais jamais voyagé dans un train, car ils ne voulaient pas me laisser seul. Pas un seul instant. L'un d'eux prit les billets tandis que l'autre se tenait près de moi. Celui-ci veilla à ce qu'aucun voleur n'essayât de fouiller de nouveau là où ils avaient eux-mêmes fouillé en vain. Je voudrais bien voir un voleur habile trouver un rouge liard dans des poches déjà fouillées par la police.

Très poliment ils m'escortèrent jusque dans le train et m'offrirent une place dans un compartiment. Je croyais que, maintenant, ces messieurs allaient prendre congé. Ils n'en firent rien. Ils s'assirent. Craignant apparemment que je ne tombe par la fenêtre quand le train serait en marche, ils s'installèrent de chaque côté de moi. Les policiers belges sont polis. Je ne trouvais rien à leur reprocher. Ils me donnèrent des cigarettes, mais pas d'allumettes. Ils avaient peur que je ne mette le feu au train.

Nous arrivâmes à une toute petite ville, où nous descendîmes. On m'emmena de nouveau à un poste de police. Je dus m'asseoir sur un banc. Les hommes qui m'avaient amené racontèrent une longue histoire au grand personnage (au grand manitou) qui officiait là.

18 Question (Histoire) de mariage

Elle entra dans la cuisine, où Anthea disposait les tasses et les soucoupes pour le thé.

«Le docteur était en train de chasser en bas, près du ruisseau, dit-elle. Est-il venu?

– Il est entré un moment.»

Deborah se leva du feu (de devant le feu), coupa quelques tranches de pain et se mit à les faire griller. Elle entendait la respiration courte et haletante de la jeune fille. Son visage mince était très pâle dans l'obscurité. Tout à coup elle commença:

«Cela ne vous (te, etc.) fait rien si . . .»

Tout aussi subitement elle s'interrompit comme si elle n'avait plus le courage ou la force de continuer.

Deborah leva les yeux.

«Cela ne vous ferait rien? répéta la jeune fille. Il veut que je l'épouse.»

Deborah sentit son coeur bondir:

«Mais il doit avoir cinquante ans! s'écria-t-elle.

– Je le sais.

– Est-ce qu'il te plaît?

– Oh oui, bien sûr! »

Deborah retourna les franches de pain d'un air soudainement résigné, les lèvres serrées. Cela la choquait étrangement. La jeune fille resta immobile, le regard fixe, puis elle parla d'une voix faible:

«Je ferai tout ce que vous me direz, dit-elle.

– Veux-tu l'épouser?

– Oui.

– Eh bien, si c'est ce que tu veux (si tel est ton désir), il n'y a plus rien à dire. Tu dois faire ce que tu crois être le mieux.»

19 Le jaloux (Jalousie)

J'allai me placer au bord de la pelouse pour surveiller sa fenêtre. Il y avait toujours de la lumière dans son boudoir. Je regardai et j'attendis. La lumière continuait de brûler. J'avais eu chaud après cette marche, mais maintenant l'air était frais sous les arbres. Je commençai à avoir froid aux mains et aux pieds. La nuit était noire et totalement silencieuse. Ce soir il n'y avait pas de lune glaciale au-dessus des arbres. A onze heures, juste après les coups de l'horloge (après que l'horloge eut sonné), la lumière du boudoir s'éteignit et la lumière de la chambre bleue s'alluma à sa place. Je marquai un moment d'arrêt puis, tout d'un coup, je fis le tour de la maison, et passant devant les cuisines à l'arrière, j'arrivai à la façade ouest, et je levai les yeux vers la fenêtre de la chambre de Rainaldi. Je fus soulagé. Là aussi une lumière brûlait.

J'entrai dans la maison et je montai à ma chambre. Je venais d'enlever mon veston et ma cravate et de les jeter sur la chaise, lorsque j'entendis le bruissement de sa robe dans le couloir, puis un petit coup frappé à la porte. J'allai ouvrir. Elle se tenait là, non encore déshabillée (elle n'était pas encore déshabillée), les épaules toujours enveloppées (recouvertes) de ce même châle.

«Je suis venue vous dire bonne nuit, dit-elle.

– Merci, répondis-je. A vous de même (Vous aussi).»

Elle baissa les yeux et aperçut la boue sur mes souliers:

«Où étiez-vous toute la soirée? me demanda-t-elle.

– Je me suis promené dans le parc,» lui répondis-je.

20 Boukhara-la-noble

Je marchai, me sembla-t-il, très longtemps. A cette heure il faisait nuit noire, et il n'y avait encore aucune trace de Boukhara.

Je commençais à me demander si, après tout, je ne m'étais pas trompé de chemin, et s'il en était ainsi, où celui-ci me conduirait, lorsque je remarquai que le ciel, du côté vers lequel je marchais, était un peu plus lumineux qu'ailleurs. Cela pouvait être, ou ne pas être, le reflet des lumières d'une ville. (Peut-être était-ce le reflet des lumières d'une ville, peut-être pas). Bientôt les fermes qui se trouvaient au bord de la route et dans les champs, devinrent (se firent) plus nombreuses, et le chemin me fit passer entre de hauts murs de boue qui entouraient des vergers d'abricotiers. Cela ne ressemblait nullement à l'Union Soviétique.

Puis, tout à coup, le chemin fit un coude et, arrivé au sommet d'une légère montée, je découvris sous mes yeux les larges remparts blancs et les tours de guet de Boukhara, étalés (qui s'étendaient) devant moi dans la clarté naissante de la lune.

Juste devant moi se dressait une des portes de la ville, dont la grande arche était encastrée dans une massive tour fortifiée qui dominait les hauts murs crénelés. Suivant une caravane de dromadaires, je franchis cette porte et entrai dans la ville.

21 Père et fille

«Je n'aime pas sortir, dit Sylvie, mais je te remercie.»

Elle se força à sourire, puis se leva et se versa une tasse de café du percolateur.

«Pourquoi es-tu venu ici ce soir? demanda-t-elle.

– Je veux que tu viennes vivre chez nous, Sylvie, dit-il.

– Est-ce que je vous embarrasse (mets dans l'embarras)? demanda-t-elle, d'un air plus ou moins provocateur.

– C'est possible, dit Melville. Mais tu sais que ce n'est pas là la raison. Nous voulons que tu reviennes à la maison. Ceci – il indiqua d'un geste de la main la petite pièce – est loin d'être satisfaisant.»

Sylvie prit dans son sac à main un petit comprimé, qu'elle avala avec une gorgée de café. Elle vit que Melville la regardait attentivement, et dit en riant:

«Ma saccharine, papa.»

Elle lui trouva une autre tasse et pendant plus d'une heure ils restèrent là à parler, et peu à peu ses doigts cessèrent de tirailler la boucle de sa ceinture. Quand Melville lui parla de sa vie personnelle, elle se tut. Mais quand il parla de l'Afrique, elle lui posa des questions, les yeux brillants et les joues rouges. Il lui raconta comment il avait passé la journée et, regardant la pendule, il mit la radio en marche pour écouter les informations.

22 Un écrivain américain à Paris

Par ces matinées de printemps, je commençais à travailler de bonne heure, pendant que ma femme dormait encore. Les fenêtres étaient grandes ouvertes et les pavés séchaient après la pluie. Le soleil séchait les façades mouillées des maisons qui faisaient face à la fenêtre. Les volets des boutiques étaient encore fermés. Le chevrier remontait la rue en soufflant dans ses pipeaux, et une femme qui habite à l'étage au-dessus de nous sortait sur le trottoir portant un grand pot. Le chevrier choisissait une des chèvres laitières noires au pis lourd et trayait son lait dans le pot, tandis que son chien repoussait les autres sur le trottoir. Les chèvres regardaient autour d'elles comme des touristes. Le chevrier prenait l'argent que lui tendait la femme, la remerciait et continuait à monter la rue en jouant de son instrument, tandis que le chien rassemblait et faisait avancer les chèvres, qui agitaient de haut en bas leurs cornes. Je me remettais à écrire et la femme montait l'escalier avec le lait de chèvre. Elle était chaussée de savates à semelles de feutre et je n'entendais que sa respiration lorsqu'elle s'arrêtait sur le palier devant notre porte. Puis j'entendais claquer sa porte. Elle était la seule dans notre immeuble à acheter du lait de chèvre.

23 Avant le duel

Ce ne fut qu'après avoir roulé pendant environ dix minutes que le capitaine se rendit compte qu'il n'avait pas la moindre idée de l'endroit où on l'emmenait. Il avait laissé à ses témoins le soin de tout arranger.

Tout à coup il se pencha en avant et toucha le genou du médecin:

«Où cela va-t-il avoir lieu? » demanda-t-il.

Le médecin leva les deux mains et fit de petits signes d'apaisement comme pour rassurer un malade nerveux.

«Toutes les dispositions ont été prises, dit-il. Nous y serons dans dix minutes.

– Mais où est-ce, insista le capitaine Picard. Il faut que je sache où je dois me battre.»

Le médecin regarda son voisin, puis se tourna de nouveau vers le capitaine:

«Je ne crois pas que l'endroit ait un nom, dit-il. C'est là-haut dans les bois de pins.»

Tout en parlant il indiqua quelque chose du doigt par la portière, et le capitaine pencha la tête pour voir ce qu'il montrait. Devant eux la route montait – le cheval avait déjà flairé la côte et avançait plus lentement que jamais – et une forêt de pins sombres barrait l'horizon d'un bout à l'autre. Elle s'étendait sur les collines, noire et menaçante, cachant tout ce qui se trouvait au-delà.

24 La marque révélatrice

L'eau s'écoula, faisant apparaître sur l'émail une grosse tache brune. Il la frotta, d'abord avec sa main, ensuite avec la brosse en chiendent, mais la tache ne disparaissait pas. L'émail ne prend pas de pareilles taches; cela était sans doute dû à la qualité du papier – il devait y avoir du goudron ou autre chose. Il alla dans la salle de bains, et chercha vainement un détergent.

Comme il rentrait dans sa chambre, il se rendit compte qu'elle était remplie d'une odeur de papier brûlé. Il alla vite ouvrir la fenêtre. Un coup de vent glacial souffla sur (parcourut) ses membres nus. Il serrait sa robe de chambre plus étroitement autour de lui lorsqu'on frappa à la porte. Paralysé de peur, il regarda fixement la poignée, entendit un autre coup, cria et regarda tourner la poignée. C'était l'employé de la Réception.

«M. Avery?
– Oui?
– Excusez-moi. Il nous faut votre passeport. Pour la police.
– La police?
– C'est la règle.»

Avery s'était reculé contre la cuvette du lavabo. Les rideaux battaient frénétiquement (à tous les diables) des deux côtés de la fenêtre ouverte.

«Puis-je fermer la fenêtre? demanda l'homme.
– Je ne me sentais pas bien. J'avais besoin d'air.»

Il trouva son passeport et le lui remit. Ce faisant il s'aperçut que le regard de l'autre était fixé sur la cuvette, sur la tache brune et les petits flocons qui étaient toujours collés aux bords.

25 La longue attente

L'idée de retourner à la chambre était insupportable. A part le rez-de-chaussée, je ne savais rien de la disposition des pièces. Je suivis le garçon, mais la porte par laquelle il était passé donnait accès, à ce qu'il semblait, à un escalier de service, par lequel (en bas duquel) il avait disparu. Comme j'hésitais, une horloge sonna quatre heures, et je compris que c'était sans aucun doute l'aube, et non pas le clair de lune, que j'avais vue par les fenêtres du palier. A cette heure Arnold approchait de la fin de son voyage: j'imaginai la lumière chiche perçant la fumée qui enveloppait ces vallées, les bataillons de cheminées d'usine s'arrachant à l'obscurité, le réseau de voies ferrées sillonnant (parcourant) de sordides villes industrielles. Je me représentai Arnold faisant les cent pas sur quelque quai désert, ne pouvant même pas sans doute se faire servir une tasse de thé ou acheter un journal. Délibérément je fixai mes pensées sur ces menus détails. Je le suivais dans son voyage sur la petite ligne partant de Blonfield, dans un compartiment qui empestait le tabac refroidi, traîné par une locomotive démodée s'arrêtant à toutes les stations et arrivant enfin à destination, pour être accueilli peut-être par une des jeunes filles qui lui annoncerait la mort de son père.

26 Par un froid matin d'hiver

Je pensai que je ferais mieux de dormir un peu. Je trouvai donc un trou assez sec au-dessous d'une racine de chêne et je m'y faufilai. La neige était profonde dans ces bois et j'étais trempé jusqu'aux genoux. Je réussis à dormir quelques heures tout de même; je me levai et je me secouai juste au moment où l'aube hivernale commencait à poindre à travers les cimes des arbres. Ensuite il s'agissait de déjeuner et il me fallait trouver une habitation quelconque.

Presque immédiatement je débouchai sur une route; c'était une voie importante allant du nord au sud. Je marchai dans l'air glacial du matin pour me dégourdir, et je commencai bientôt à me sentir un peu mieux. Au bout d'un moment je vis la flèche d'une église, ce qui indiquait la présence d'un village. Il n'était guère probable que Stumm eût déjà trouvé ma trace, calculais-je, mais il y avait toujours la possibilité qu'il eût averti par téléphone tous les villages d'alentour et que ceux-ci fussent en alerte. Mais il fallait courir ce risque, car j'avais besoin de manger.

Je me souvins que c'était la veille de Noël et que les gens seraient en vacances. Le village était assez gros (C'était un assez gros village), mais à cette heure – un peu après huit heures – il n'y avait personne dans la rue, à part un chien errant. Je choisis la boutique la plus modeste que je pus trouver, où un petit garçon enlevait les volets – un de ces magasins d'approvisionnement général où on vend de tout.

27 Longtemps après la guerre

Une ou deux fois l'abbé s'agita dans son sommeil et sembla être sur le point de se réveiller, mais chaque fois il s'enfonçait plus profondément dans le calme mielleux et doré de l'après-midi, dans son propre sommeil satisfait (dans sa propre béatitude somnolente). Enfin, quand Baird lui-même fut presque endormi, le vieillard parla sans ouvrir les yeux:

«Eh bien, mon cher Baird, dit-il – et à ce moment il leva les yeux – nous savions tous que vous reviendriez. Il s'agissait seulement de savoir quand.»

Il se leva de sa chaise en grognant et ils s'embrassèrent tendrement. Puis il se rassit et ferma un instant les yeux, avant de tirer des plis de sa soutane tachée un paquet de cigarettes bon marché, et d'en allumer une. Il bâilla longuement (à se décrocher la mâchoire) et dit:

«Je savais bien qu'il y avait quelqu'un d'assis en silence devant moi. Je croyais que, peut-être, quelqu'un braquait sur moi un revolver. Vous voyez (comprenez)? Nous n'avons pas encore rejeté nos vieilles habitudes. J'ai simplement glissé un regard à travers mes cils pour savoir ce qu'il y avait. Avez-vous remarqué qu'il est tout à fait impossible d'assassiner un homme qui dort?

– Je savais que vous m'aviez vu, dit Baird.
– Et ainsi, mon cher, dit l'abbé, son visage se plissant (dont le visage se plissa) en un sourire malin, vous voilà enfin revenu visiter la scène de tant d'aventures.»

28 En observation (Le guet)

Une heure s'écoula. Quatre heures sonnèrent à l'horloge de l'église. J'attendis toujours. A cinq heures moins le quart je vis la femme de l'aubergiste sortir de l'entrée de l'arrière-salle et regarder autour d'elle, comme si elle cherchait quelqu'un. Son visiteur était en retard pour souper. Le poisson était cuit. Je l'entendis interpeller un homme qui se tenait près des bateaux amarrés aux marches; mais je ne compris (n'entendis) pas ce qu'elle dit. Il lui cria quelque chose à son tour et, se tournant, indiqua du doigt le port. Elle hocha la tête et rentra dans l'auberge. Puis, à cinq heures dix, je vis un bateau qui approchait des marches conduisant à la ville. Avec son gaillard robuste ramant (qui ramait) à l'avant, le bateau fraîchement verni avait tout l'air de ces embarcations qu'on loue aux étrangers qui se plaisent à être promenés dans le port.

Un homme coiffé d'un chapeau à larges bords était assis à l'arrière. Ils arrivèrent aux marches. L'homme descendit du bateau et, après avoir discuté un peu, donna de l'argent au batelier. Puis il se dirigea vers l'auberge. Resté un moment debout sur les marches avant d'entrer dans le *Rose and Crown*, il ôta son chapeau et regarda autour de lui avec cet air de tout évaluer qui ne me laissa plus aucun doute (que je reconnus à coup sûr).

J'étais si près que j'aurais pu lui lancer un gâteau sec. Alors il entra dans l'auberge. C'était Rainaldi.

29 Le legs (L'héritage)

Elle décida tout à coup de lui parler de l'argent de sa mère. Cela lui soulagerait l'esprit et ce serait une arme qui donnerait plus de force à ses paroles.

«Eh bien, autant vaut que tu le saches dès maintenant, dit-elle.

– Que je sache quoi?
– Ta mère t'a laissé un peu d'argent,» dit-elle.
Il prit un air ironique.
«Oui, je le sais, dit-il. Combien? Un franc? »
Elle se détourna et prit la nappe sur (retira la nappe de) la table et l'emporta jusqu'à la porte. Elle fit tomber les miettes et plia la nappe, en tenant un bout avec son menton; puis elle la mit dans le tiroir de la table. Il la regardait, en fronçant les sourcils, ne sachant que penser (n'y comprenant rien).
Elle entra dans la laiterie pour y mettre le pot à lait. Elle revint et se mit à faire la vaisselle dans l'évier, ne faisant plus du tout attention à lui (sans plus s'occuper de lui). Il alla jusqu'à la porte, commença à traverser la cour et se ravisa. Il revint à la dérobée et s'appuya au linteau de la porte.
«Où est-ce enfin? dit-il.
– Où est quoi? demanda-t-elle.
– Où est cet argent dont tu parles?
– Oh! l'argent. Et après? (Et quoi encore?) Je croyais que tu étais allé voir ton père.
– Comment cela se fait-il que tu saches ce qu'elle a laissé? »
Elle ne répondit pas.

30 La peur d'un crime

Puis ils débarquèrent, rejoignirent les autres voyageurs qui attendaient sur l'autre rive et, tous réunis maintenant, ils se hâtèrent vers l'ouest. C'était un pays aride, recouvert d'un tapis de feuilles de teck desséchées, et la lumière se reflétait jaune pâle dans ses yeux. Dès qu'elle vit surgir le sombre bosquet elle comprit que Jason ne trouverait jamais meilleur endroit pour dévaliser Mansur Khan. Il y avait des buissons çà et là, entre les grands arbres, ainsi qu'un petit ruisseau, et tout autour une brousse épaisse. Il mettrait son projet à exécution cette nuit, puis il se sauverait avec elle et l'âne avant le réveil du camp.

Jusque-là elle n'avait jamais essayé de le détourner d'un acte de brigandage. Cette fois il le fallait. Elle avait peur mais ne savait pas pourquoi. Peut-être les sacoches de Mansur contenaient-elles assez de bijoux pour permettre à Jason de s'établir pour toujours dans cette mauvaise vie. Peut-être sa peur avait-elle une autre cause, mais le fait est qu'elle avait peur. Elle serra les mâchoires. Elle l'empêcherait.

Jason suivit Mansur dans le bosquet et ils n'étaient pas loin derrière lorsque Mansur dit au vieux serviteur:

«On dormira ici, juste au pied de cet arbre.
– Très bien, seigneur», dit le serviteur d'une voix chevrotante.
Jason continua jusqu'à un bouquet d'arbres qui se trouvait tout près et dit: «Ceci fera notre affaire».

31 Un homme caché

Elle ouvrit avec précaution la porte de derrière et jeta un coup d'oeil dehors. La cave était fermée et tout était parfaitement tranquille. Épouvantée elle fixa son regard sur la porte de la cave. Si elle pouvait se forcer à l'ouvrir, s'il n'y avait personne dedans, elle pourrait juger la situation avec sang-froid. Mais si le bruit qu'elle avait entendu était réel, si la porte cachait quelqu'un qui se tenait aux écoutes, comme elle-même, ne ferait-elle pas mieux de verrouiller la porte de derrière et de téléphoner immédiatement? Elle resta un moment indécise, ayant peur de bouger et, à cet instant même, elle entendit, venant de derrière la porte des toilettes, un éternuement étouffé. Seule, Mrs. Jupp utilisait cet endroit et le verrou était cassé. En deux enjambées Anthea avait gagné la porte qu'elle ouvrit avec violence. Oui, il y avait quelqu'un; un jeune homme, plutôt petit, qui se faisait encore plus petit en se serrant contre le mur. Gêné, il sortit aussitôt de sa cachette.

«Eh bien! » dit Anthea, d'une voix cassée, son courage ravivé par l'apparence chétive du jeune homme. Que diable faites-vous ici? Que cherchez-vous? »

32 Le passeport était-il faux?

«Ne veut-il pas voir son frère?» demanda Peersen.

Sutherland était embarrassé. «C'est une question à poser à M. Avery (Cela ne regarde que M. Avery)» dit-il, comme si l'affaire dépassait sa compétence. Tous deux regardèrent Avery.

«Je ne le crois pas, trancha Avery.
– Il y a une difficulté. A propos de l'identité, dit Peersen.
– L'identité, répéta Avery. De mon frère?
– Vous avez vu son passeport, interrompit Sutherland, avant de me l'envoyer. Quelle difficulté y a-t-il?»

Le policier hocha la tête. «Oui, oui.» Ouvrant un tiroir, il en sortit une poignée de lettres, un portefeuille et des photos.

«Il s'appelait Malherbe» dit-il. Il parlait couramment l'anglais avec un fort accent américain, ce qui en quelque sorte s'accordait bien avec le cigare. «Son passeport portait le nom de Malherbe. C'était un passeport en règle, n'est-ce pas? »

Peersen jeta un coup d'oeil à Sutherland. Un moment Avery crut lire sur le visage assombri de Sutherland une certaine hésitation sincère.

«Bien sûr.»

Peersen se mit à trier les lettres, en mettant certaines dans un classeur devant lui, et remettant les autres dans un tiroir. De temps à autre, comme il en ajoutait au tas, il murmurait:

«Ah, bon! » ou «Oui, oui.»

Avery sentait la sueur lui couler le long du corps; ses mains serrées en étaient toutes moites.

«Et votre frère s'appelait Malherbe? » demanda-t-il encore, après avoir terminé son tri.

33 Ébauche d'un portrait de Staline par Picasso

«Comment veux-tu que je fasse un portrait de Staline? » dit-il, irrité. D'abord je ne l'ai jamais vu et je ne me souviens pas du tout de son aspect, si ce n'est qu'il porte un uniforme avec de gros boutons devant, qu'il porte une casquette militaire, et qu'il a une grande (grosse) moustache.» J'avais déjà fouillé partout dans l'atelier et trouvé une vieille photo de journal qui aurait pu être un portrait de Staline vers la quarantaine. Je la remis à Pablo.

«Bon», dit-il. «Puisque c'est Aragon et qu'il en a besoin, je vais essayer de le faire.» Résigné, il se mit à l'oeuvre et essaya de faire un portrait de Staline. Mais quand il eut fini, cela ressemblait à mon père. Pablo n'avait jamais vu celui-ci non plus, mais plus il essayait de le faire ressembler à Staline, plus le portrait ressemblait à mon père. Nous rîmes tant que Picasso commença à avoir le hoquet.

«Peut-être que si j'essayais de faire un portrait de ton père, cela ressemblerait davantage à Staline», dit-il. Nous examinâmes la photo de plus près, puis nous regardâmes dans tous les détails les dessins qu'il avait faits, et enfin il en produisit un qui ressemblait plus ou moins à Staline à quarante ans.

34 Relevé de son commandement

J'avais pris un livre et j'étais assis sous un des deux grands arbres sur la pelouse de l'Ambassade. Les militaires étaient en conférence et je me trouvais tout seul sur la pelouse, à part un factionnaire qui passait et repassait sur le terre-plein qui sépare le jardin du Nil. J'observais deux huppes qui de leurs longs becs tiraient des vers de l'herbe, lorsqu'Alan Brooke parut en compagnie d'Auchinleck; ils s'assirent sous l'autre arbre. Je n'entendais pas ce que disait le CIGS et je ne voyais pas non plus l'expression du visage d'Auchinleck; mais je n'avais besoin d'aucune aide pour suivre ce qui se passait. Auchinleck était assis, les bras appuyés sur ses cuisses, les mains pendantes entre les genoux, la tête penchée en avant telle une fleur au bout d'une tige brisée. Ses longs membres maigres étaient détendus; toute son attitude exprimait la douleur: il était complètement démoralisé. Au bout d'un moment ils se levèrent et rentrèrent dans la maison. J'essayai de reprendre ma lecture; pourtant, je ne sais pourquoi, j'étais peiné par le spectacle auquel je venais d'assister.

35 Un moment d'hésitation

Mais je ne voulais pas tirer sur l'éléphant. Je le regardais frapper ses genoux avec sa botte d'herbe, de cet air préoccupé de grand'mère qu'ont les éléphants. Il me semblait que si je l'abattais ce serait un meurtre. A cet âge j'avais peu de scrupules à tuer des animaux, mais je n'avais jamais tué un éléphant et n'en avais jamais eu envie. Je ne sais pourquoi, mais il me semble toujours pire de tirer sur une bête lorsqu'elle est grosse. D'ailleurs il fallait tenir compte du propriétaire de la bête. Vivant, l'éléphant valait au moins cent livres; mort, il vaudrait seulement le prix de ses défenses, cinq livres peut-être. Mais il fallait agir vite. Je me tournai vers quelques Birmans qui avaient l'air de s'y connaître et qui étaient déjà là à notre arrivée, et je leur demandai comment cet éléphant se comportait ordinairement (quel avait été, jusque-là, le comportement de cet éléphant). Ils dirent tous la même chose: il ne faisait pas attention si on le laissait tranquille, mais il pourrait bien charger, si on allait trop près de lui.

Ce que j'avais à faire m'apparaissait très clairement. Je devais m'approcher jusqu'à – mettons vingt-cinq mètres – de l'éléphant, et voir sa réaction. S'il chargeait, je pourrais tirer; s'il ne faisait pas attention à moi, il n'y aurait pas de danger à le laisser en attendant le retour du cornac. Mais je savais aussi que je n'allais rien faire de tel (de semblable).

36 Sur le point d'être sauvée

Elle ouvrit les yeux, vaguement surprise, comme si le projecteur qui fouillait à tâtons, et la masse noire derrière lui, étaient d'étranges phénomènes difficiles à expliquer. Elle ne fit aucun signe mais, se cramponnant dans une sorte de stupeur, elle les regarda venir, le projecteur déjà pâle dans les premières lueurs du jour, le navire qui s'avançait énorme et lent, le battement de l'hélice étouffant les voix de ceux qui appelaient.

Maintenant le ciel était presque clair. Il ne restait de brouillard qu'un léger duvet, déjà teinté de rose au levant. Tout autour la mer était calme, soulevant et répandant doucement des morceaux d'épaves. Molly leva un bras et le laissa retomber. L'effort était presque trop grand; la caisse flottait sur l'eau, la mer passait par-dessus le couvercle. Elle éprouvait une étrange sensation de paix, comme si cette agitation, ces sons de cloche, ces bruits de voix ne la regardaient plus. Il y avait quelque chose qu'elle voulait se rappeler, mais c'était trop lointain. Cela n'avait plus aucune importance; elle était au bout de ses peines. Elle se cramponna à la caisse et attendit, les yeux fermés.

Maintenant les voix étaient presque au-dessus d'elle, fortes et pressantes. De sa pensée un fil se détacha et vint saisir et identifier le clapotement du bateau sur l'eau, le grincement des tolets. Tout allait bien après tout; et elle n'éprouvait aucune sensation.

37 Tom a pris une décision

Le vent s'élevait et de grandes vagues s'abattaient tumultueusement sur la plage. La mer devint presque noire, et les façades mouillées des maisons, malgré leurs couleurs gaies, commençaient à prendre un aspect lugubre. La ville semblait absolument déserte; on ne voyait nulle part (on n'y voyait) âme qui vive. Le seul être vivant était un chien, le nez dans le caniveau. Quand Tom apparut au coin de la rue, le chien sursauta et le regarda, choqué (scandalisé) par cette intrusion. Mais la tristesse même de la scène, les coups sourds et monotones des vagues, le crépitement (le frémissement) de la pluie dans les flaques, procuraient à Tom cette sorte de plaisir qu'on éprouve à défier un ennemi. Il s'en trouvait stimulé, excité. Il sentait sa force; il sentait qu'il avait bien fait. Il avait pris une décision importante et s'était sauvé la vie. Il descendit sur la plage et marcha de long en large près des vagues jusqu'à ce que la pluie tombât plus fort. Ses souliers se remplirent de sable et il se rappela qu'il n'avait apporté qu'un seul complet. Il reprit le chemin de l'auberge (de l'hôtel) dans l'intention de lire un de ses nouveaux romans policiers.

38 Agent secret

Après midi, nous nous arrêtâmes dans une gare pour déjeuner. Nous mangeâmes fort bien dans le restaurant et comme nous finissions le repas, deux officiers entrèrent. Stumm se leva, les salua et s'éloigna pour leur parler. Puis il revint et m'obligea à le suivre dans une salle d'attente, où il me dit de rester jusqu'à ce qu'il vînt me chercher. Je remarquai qu'il appela un porteur et fit fermer la porte à clef en sortant.

C'était une salle froide, sans feu, et j'y battis la semelle pendant vingt minutes. Je vivais maintenant pour l'heure présente (au jour le jour) et je ne me donnais pas la peine de m'inquiéter de cette étrange conduite. Sur un rayon se trouvait un livre d'horaires. J'en tournais distraitement les pages, lorsque j'arrivai à (je tombai sur) une grande carte ferroviaire. Alors l'idée me vint de découvrir où nous allions. J'avais entendu Stumm prendre mon billet pour une ville nommée Schwandorf, et après avoir longtemps cherché je la trouvai. Elle se situait bien loin au sud, en Bavière, et autant que je pusse calculer, à moins de cinquante milles du Danube. Cela m'encouragea énormément. Si Stumm habitait là-bas, il me ferait fort probablement partir en voyage par cette voie ferrée que je voyais se diriger vers Vienne, pour continuer après vers l'est. Il semblait possible que j'arrive à Constantinople après tout.

39 Un voyageur étrange

C'était le matin, de bonne heure; l'encadrement en acier de la fenêtre découpait un ciel gris et froid. Les dernières étoiles venaient juste de s'éteindre. Il était assis là, les mains entre les genoux, fatigué, ennuyé, attendant patiemment; il n'avait aucune importance, il n'était pas devenu un explorateur, il était tout simplement un criminel. L'effort qu'il avait fait pour arriver à cet endroit l'avait épuisé, et il n'arrivait plus à se rappeler exactement ce qu'il avait fait – il se souvenait seulement de la longue marche dans l'obscurité à travers la campagne jusqu'à la gare, du tremblement qui l'avait saisi lorsque les vaches avaient toussé derrière les haies et qu'une chouette avait crié; il avait fait les cent pas sur le quai en attendant l'arrivée du train; il se rappelait l'odeur d'herbe et de vapeur. Le contrôleur lui avait demandé son billet – il n'en avait pas, il n'avait pas de quoi le payer. Il savait son nom ou du moins pensait le savoir, mais il n'avait pas d'adresse à donner. L'employé avait été très aimable et complaisant; peut-être avait-il l'air malade - il lui avait demandé s'il n'avait pas d'amis chez qui aller et il avait répondu qu'il n'en avait pas. «Je veux voir la police», avait-il dit. Le contrôleur l'avait rabroué, gentiment. «Vous n'avez pas besoin pour ça d'aller jusqu'à Londres, monsieur.»

40 Pas de réponse

Le lendemain matin, un jeudi, j'étais occupé avec (pris par) des leçons. Le vendredi, j'essayai trois fois de téléphoner à l'appartement d'Arthur, mais la ligne était toujours occupée. Le samedi je partis pour le week-end voir des amis à Hambourg. Je ne revins à Berlin que tard le lundi après-midi. Ce soir-là je composai le numéro d'Arthur, voulant lui parler de ma visite: toujours pas de réponse. J'appelai quatre fois, à une demi-heure d'intervalle, puis je fis une réclamation à (auprès de) la standardiste. Celle-ci me dit en termes officiels que «l'appareil de l'abonné était hors de service.»

Je ne m'en étonnai pas outre mesure. Dans l'état actuel des finances d'Arthur, il n'était guère probable qu'il eût réglé sa note de téléphone. Tout de même, pensai-je, il aurait pu venir me voir ou m'envoyer un petit mot. Mais il était sans doute occupé (avait sans doute à faire), lui aussi.

Il s'écoula encore trois jours. Rarement nous avions laissé passer une semaine entière sans nous retrouver ou, du moins, sans nous appeler au téléphone. Peut-être Arthur était-il malade. A vrai dire, plus j'y pensais, plus j'étais sûr que ce devait être là l'explication de son silence. En se tourmentant (A se tourmenter) au sujet de ses dettes, il en était probablement arrivé à une dépression nerveuse. Et pendant tout ce temps je ne m'étais pas occupé de lui. Je me sentis soudain très coupable. Je décidai d'aller le voir cet après-midi même.

41 Deux chiens

«Moi, je ne cours jamais, dit le limier. Ça ne sert à rien de suivre la piste d'un chat quand on est à bout de souffle, surtout si le chat ne l'est pas. Cette idée m'est venue toute seule. Ça s'appelle l'instinct.

– On m'a appris à faire ce que je fais, et à ne pas faire ce que je ne fais pas, dit le chien policier. On appelle ça la discipline. Moi, quand j'attrape des chats, c'est pour de bon, ajouta-t-il.

Moi, je ne les attrape pas. Il me suffit de les dépister! » répondit le limier calmement.

Tout à coup les deux chiens virent apparaître devant eux, au bout d'une allée, une grande maison noire.

«La piste finit juste ici, à vingt pieds de cette fenêtre», dit le limier, s'arrêtant pour flairer un certain endroit. «C'est d'ici que le léopard a dû sauter dans la maison.»

Les deux chiens regardèrent par la fenêtre ouverte de la maison noire et silencieuse.

«On m'a appris à sauter par les fenêtres ouvertes des maisons noires, dit Plunger.

– Moi, je me suis appris à ne pas le faire, dit Plod. A ta place je n'attraperais pas ce chat. Je n'attrape jamais un léopard sauf si c'est un manteau.»

Mais Plunger ne l'écoutait pas.

«Et voilà», dit-il, d'un air désinvolte, et il sauta par la fenêtre de la grande maison silencieuse.

42 Un jeune homme ambitieux

«Que désirez-vous pour vous-même? demanda Marion.

– Je veux réussir.»

Elle parut étonnée par la vigueur avec laquelle j'avais parlé. Elle ajouta: «Qu'appelez-vous réussir?

– J'entends ne pas rester inconnu toute ma vie.

– Voulez-vous faire fortune, Lewis?

– Je veux réussir dans tous les sens du mot. Et en plus j'ai quelques exigences personnelles.

– Il ne faut pas demander trop, dit Marion.

– Je demande tout ce qui peut s'obtenir», lui dis-je. Je repris:

«Et si j'échoue, je ne chercherai aucune excuse. Je dirai que c'est ma propre faute».

«Lewis! » s'écria-t-elle. Il y avait une expression étrange sur son visage. Après un instant de silence elle demanda:

«Y a-t-il autre chose que vous désirez? »

Cette fois j'hésitai. Puis je dis:

«Je crois que je désire aimer.»

D'un ton emphatique et résolu, mais les traits toujours adoucis par la douleur, Marion répondit:

«Oh! pour ma part je n'ai jamais eu le temps d'aimer. Il y a trop d'autres choses à faire. Je me demande si vous aurez le temps vous-même (quant à vous).»

J'étais trop absorbé pour faire attention à ce qu'elle disait. A ce moment-là je vivais dans un rêve.

43 Le feu

Ralph lui cria:

«Piggy! as-tu des allumettes? »

Les autres garçons répétèrent ce cri jusqu'à ce qu'il se répercutât dans la montagne (à en faire retentir la montagne). Piggy secoua la tête et s'approcha du tas.

«Par exemple! c'est un gros tas que vous avez là! »

Tout à coup Jack montra quelque chose du doigt:

«Ses lunettes! elles peuvent servir de loupe!

– Allons! Lâche-moi! »

Sa voix s'éleva en un cri de terreur, tandis que Jack lui arrachait les lunetes du visage.

«Attention! Rends-les-moi. Je n'y vois presque rien. Tu vas casser la conque.»

Ralph l'écarta du coude et se mit à genoux près du tas.

«Écarte-toi de la lumière.»

Ralph promena les verres d'avant en arrière, de droite à gauche, jusqu'au moment où une image blanche et luisante du soleil couchant se fixa sur un morceau de bois pourri. Presque aussitôt un mince filet de fumée s'éleva et le fit tousser. Jack s'agenouilla aussi et souffla doucement, si bien que la fumée s'éloigna en s'épaississant et une toute petite flamme apparut. La flamme, presque invisible tout d'abord dans l'éclat du soleil, s'empara d'une petite brindille, grandit, prit une couleur plus vive, et atteignit une branche qui éclata avec un craquement sec. La flamme vacillante monta plus haut et les garçons poussèrent des hourras.

«Mes lunettes! » hurlait Piggy. «Rendez-moi mes lunettes! »

44 Sur la piste d'un intrus

Tout à coup elle l'entendit de nouveau, tout près cette fois. Il monta en courant les premières marches de l'escalier extérieur qui menait à la mansarde, et s'arrêta. Un mince filet de lumière filtrait sous la porte fermée de la pièce où elle était assise. La lumière effleura son pied, puis disparut. Le silence se fit de nouveau. Elle se leva très lentement et resta là à l'attendre.

Il revint sur ses pas. Elle l'entendit distinctement. Il avait conclu que l'étage supérieur n'était pas occupé. Au bout de quelque temps elle l'entendit de nouveau, en bas, dans le vestibule.

Amanda pensa à la sortie de secours, mais elle se ravisa. La police répondrait immédiatement à l'appel de Meg, mais le brouillard était très épais et pourrait retarder les policiers. C'était dommage tout de même que le cambrioleur s'échappât sans être vu. Elle se résolut à descendre.

Sa décision prise, elle se dirigea vers la porte. La seule difficulté sans doute c'étaient les premières marches, puisque les planches là étaient nues et fraîchement peintes mais, s'appuyant sur la rampe, elle avança lentement, à tâtons. Sur le palier du premier étage il faisait très noir. Les portes des chambres à coucher étaient fermées et le petit oeil-de-boeuf n'était guère plus qu'une tache informe; mais elle se souvenait du plan de la maison et, en suivant le mur, elle arriva sans bruit en haut du gracieux escalier en colimaçon.

45 Accusations

«Mais pourquoi dites-vous que je ne dois pas rester ici, monsieur? Que m'importe que ce soit un champ de bataille? Je suis prête à donner un coup de main pour soigner les blessés. Mon premier mari était militaire et il est mort sur un champ de bataille. Laissez-moi me rendre utile. Je suis tout de même chez moi! »

Nicot sourit, comme quelqu'un qui comprend, mais il fit signe que non de la tête.

«Nous avons beaucoup de jeunes femmes pour soigner les blessés, madame. Autrement j'accepterais volontiers votre aide. Dans l'état actuel des choses nous préférerions que vous ne vous montriez pas pendant quelque temps; peut-être avant la fin de la journée on aura préparé une ou deux pièces pour vous . . .»

Mais à cet instant un maquisard, grand, au visage dur, qui avait assisté à la scène, s'écria: «Arrête. Tu fais erreur, Nicot. Cette femme est une traîtresse.»

Marie-Louise se tourna brusquement vers lui.

«Que voulez-vous dire par là?

– Nous avons tous les renseignements sur elle. Elle a collaboré secrètement.

– Non! Ce n'est pas vrai.

– Oh! mais si. Nous en savons très long sur elle. Elle a collaboré longtemps chez elle avec les Allemands les plus haut placés, et quand son fils est venu demander du secours, elle l'a renvoyé. Son fils était un aviateur anglais dont l'avion s'était écrasé, Nicot, et quand il est venu ici chercher un abri, elle le lui a refusé. Les Allemands nous ont tout dit à son sujet. Tenez, c'est la Marquise elle-même qui leur a raconté tout cela, quand ils sont venus emmener à Fresnes le mari allemand de cette femme. C'est la raison pour laquelle ils l'ont épargnée.»

46 Derrière les lignes ennemies

Il y eut un moment de silence, puis la sentinelle me demanda qui nous étions.

«Officiers d'état-major, lui dis-je, et j'ajoutai d'un ton péremptoire: «et nous sommes pressés.»

Je n'avais pas prononcé un mot d'italien depuis trois ans, et j'espérais avec ferveur (de tout mon coeur) que mon accent était convainquant et aussi qu'il ne remarquerait pas que nous portions tous l'uniforme britannique.

Il ne répondit pas tout de suite. Il semblait que ses soupçons fussent éveillés. Dans la voiture, derrière moi, j'entendis un déclic, comme le cran de sûreté d'une mitraillette fut retiré (produit par le cran de sûreté d'une mitraillette qu'on retirait). Quelqu'un avait décidé de ne pas courir de risques.

Puis, à l'instant même où j'étais sûr (convaincu) que nous allions avoir des ennuis, la sentinelle indiqua du doigt nos phares:

«Vous devriez vous mettre en code,» dit-il, et, faisant un salut militaire négligé, il ouvrit la barrière pour nous laisser passer. En pétaradant nous continuâmes vers Bengazi.

Bientôt nous nous trouvâmes dans les faubourgs de la ville. Les phares d'une autre voiture se dirigeaient vers nous. L'auto nous croisa. Puis, regardant derrière nous, nous nous aperçûmes que cette voiture s'était arrêtée, avait fait demi-tour et nous suivait. Cela avait l'air suspect. David ralentit pour la laisser passer; elle en fit autant. Puis il accéléra. Elle en fit autant. Puis il décida de la semer. Il appuya à fond sur l'accélérateur et, pétaradant plus fort (bruyamment) que jamais, nous poursuivîmes notre route vers Bengazi à au moins cent vingt à l'heure, toujours poursuivis par l'autre voiture.

47 Vers la frontière espagnole

A Villeneuve-lès-Avignon nous louâmes des bicyclettes et visitâmes Nîmes, Tarascon et Beaucaire. C'est alors qu'il fallut nous décider. Allions-nous pousser jusqu'à la Côte d'Azur, ou suivre la côte est de la France en direction de l'Espagne? Charles penchait pour les casinos, mais nous fixâmes notre choix sur l'Espagne, parce que c'était moins cher, et nous passâmes la nuit suivante à Narbonne. La ville était triste, le mistral soufflait, Charles brisa le lustre dans notre chambre et essaya de cacher les morceaux. Au dernier moment quelqu'un les découvrit et un supplément important fut ajouté à la note. Le mistral nous empêcha de poursuivre notre randonnée. Assis dans le train nous traversâmes des gares où sur les quais les acacias et les cyprès avaient été plaqués en arrière par le vent, et où même les noms des stations semblaient avoir été rongés par le mistral: Agde, Leucate, Fitou, Palau del Vidre. Les lagunes nous enchantaient, car c'était le pays de *Mariana dans le Midi*. Les bancs de sable, les joncs, les statices, le vent et le soleil faisaient songer à l'Afrique du Sud; voilà la Méditerranée, cette bande sombre au-delà des lagunes, pareille à la lisière d'une pinède; et tout près, les pieux dans l'eau, les blanches salines poudreuses, les rochers stériles des Corbières. Nous atteignîmes la terre rouge du Roussillon, puis ce fut la forteresse de Salses, la cathédrale d'Elne . . . et après de nombreux tunnels nous arrivâmes à la frontière, à Cerbère. Sans visa nous ne pouvions pas aller plus loin.

48 Comment allait-il sortir?

Il s'assit sur le lit et réfléchit. Il ne pouvait être question de prendre un bain et de descendre déjeuner comme d'habitude, parce qu'on devinerait tout de suite ce qu'il voulait faire et on l'en empêcherait. Il fallait sortir de la maison le plus vite possible, et en faisant le moins de bruit possible, et se trouver au bureau quand les gens arriveraient. Il sourit d'un air sardonique à la pensée qu'il lui fallait se sauver de sa propre maison de cette façon-là.

Il trouva sans difficulté ses vêtements et une chemise propre mais il hésita sur le choix d'une cravate. Incapable de se décider, il demeura longtemps à regarder le porte-cravates. Il finit par fermer les yeux et en prit une au hasard, après quoi il finit de s'habiller sans autre difficulté (puis il n'eut aucune difficulté à finir de s'habiller).

Il sortit silencieusement sur le palier et resta un instant à écouter. Il n'y avait aucun bruit dans la maison. Il était sept heures et quart et les Dart devaient être dans la cuisine déjà levés, mais Rosamund devait être encore au lit. Tant que la porte du couloir menant à la cuisine restait fermée, rien ne l'empêchait de traverser sans bruit le vestibule et de sortir par la porte d'entrée. Peut-être entendrait-on la voiture démarrer. Mais le garage se trouvait assez loin de la cuisine et alors ce serait, de toute façon, trop tard.

49 Au cinéma

Malheureusement elle ne lui réservait pas tous ses regards brillants, et c'est ce qui donna lieu à un deuxième incident fâcheux. Un jeune homme, beau garçon, assez grand, aux cheveux ondulés, était assis à côté d'une jeune fille dans la rangée devant eux, un peu sur leur droite. Turgis avait remarqué que ce garçon se retournait souvent chaque fois que les lumières s'allumaient et que, à chaque fois, son regard finissait toujours par se poser sur Lena. Quand cela se fut reproduit plusieurs fois, Turgis remarqua que Lena lui rendait ce regard. Enfin, pendant l'entr'acte, il la surprit qui souriait – oui, souriait – à ce garçon. Du coup il se sentit malheureux, puis fâché, puis malheureux de nouveau.

Il ne put supporter la chose plus longtemps.

«Vous connaissez ce type? demanda-t-il.

– Lequel? De quoi parlez-vous?

– Eh bien, vous n'arrêtez pas de lui sourire – je parle de ce type là-bas, dont on dirait qu'il vient de se faire faire une permanente.

– Oh, celui qui se retourne tout le temps. Il a l'air de croire qu'il me connaît, n'est-ce pas? A vrai dire, il n'est pas mal.

– Eh bien! si c'est ce que vous pensez, tout est très bien, je suppose», dit Turgis amèrement.

50 Une maladie mortelle

«Oui, docteur? dit mon père.

– J'ai bien peur qu'elle ne s'en remette pas,» dit le docteur Francis.

La cloche de l'église venait juste de s'arrêter et la chambre était si tranquille que l'obscurité semblait plus profonde.

«Vous croyez, docteur? dit mon père, désemparé. Le docteur hocha la tête en fronçant lourdement les sourcils.

– Pour combien de temps en a-t-elle? dit tante Milly.

– Je ne saurais vous le dire, Mme Ruddington, dit le docteur Francis. Elle ne se laissera pas partir facilement. Oui, elle luttera jusqu'au bout.

– Mais combien de temps, d'après vous? insista tante Milly.

– Je ne crois pas que ça puisse durer bien des semaines, dit le docteur Francis lentement. A mon avis aucun d'entre nous ne devrait souhaiter que ce soit long, par égard pour elle.

– En a-t-elle conscience? m'écriai-je.

– Oui, Lewis, elle en a conscience.»

Il était plus doux avec moi qu'avec tante Milly. Il avait oublié son ressentiment, son air presque maussade de vaincu.

«Vous le lui avez dit, ce matin?

– Oui, elle m'a demandé de lui dire la vérité. C'est une femme courageuse. Il y a des gens à qui je ne dis rien, mais dans le cas de votre mère, il m'a semblé qu'il fallait le dire.

– Comment a-t-elle réagi? lui dis-je, essayant de paraître maître de moi.

– J'espère que je réagirai aussi bien, dit le docteur Francis, si je dois me trouver dans le même cas.»

51 Un contrat peu satisfaisant

Il s'est passé des choses bizarres récemment. J'habite depuis plus d'un an cette maison, et comme je voulais mener une vie retirée, je n'ai guère fréquenté mes voisins. Il y a trois jours j'ai eu la visite d'un homme qui se disait agent immobilier. Il m'a dit que cette maison conviendrait en tous points à un de ses clients et que, si je voulais m'en défaire, on ne regarderait pas au prix. Tout cela m'a paru très étrange, puisque plusieurs maisons inhabitées, tout aussi avantageuses, sont à vendre, mais naturellement je m'intéressai à ce qu'il disait. J'ai donc indiqué un prix qui dépassait de cinq cents livres ce que j'avais payé. Il a conclu le marché séance tenante, mais il a ajouté que son client désirait acheter les meubles aussi, et il m'a priée de lui fixer un prix. Quelques-uns des meubles proviennent de mon ancienne demeure et, comme vous le voyez, ils sont d'une valeur considérable; j'ai donc cité un chiffre assez élevé. Cette fois encore mon prix a été accepté sans discussion. J'avais toujours voulu voyager et l'affaire était si bonne qu'il me semblait que ma vie était, désormais, bien assurée (que je pouvais espérer être indépendante pour le reste de ma vie).

Hier l'homme est arrivé avec le contrat tout rédigé. Par bonheur je l'ai montré à M. Sutro, mon avoué, qui habite Harrow. Celui-ci m'a dit: «Ce document est très curieux. Savez-vous que, si vous le signez, vous n'aurez pas le droit d'enlever quoi que ce soit de la maison – pas même vos affaires personnelles! »

Le soir, quand l'homme est revenu, j'ai attiré son attention sur ce fait, et j'ai dit que je ne voulais vendre que les meubles.

52 Le poste-frontière

Maintenant le givre étincelait sur les chemins et les champs. Ils tournèrent à gauche, puis à droite, puis de nouveau à gauche, et enfin un poteau leur annonça qu'ils entraient dans Feldhagen. Ce n'était qu'un village, plus grand que quelques-uns de ceux qu'ils avaient traversés, mais ce n'était pas beaucoup dire (cela ne voulait pas dire grand'chose). Lancaster fut soulagé de le voir (Sa vue fit du bien à Lancaster). Ils traversèrent lentement une place pavée; d'un côté il y avait une auberge, de l'autre un bâtiment sombre à balcons avec une horloge en haut d'une tour. Deux heures douze.

«Pas mal, murmura Rouse. Pas mal du tout.» S'adressant à Sydenham, il dit: «Encore un mille environ.»

Le village disparut. Lancaster constata que le chauffeur n'avait allumé que les feux de position et machinalement il regarda à gauche, se demandant où était la frontière. Mais il ne vit que les champs et les bouquets d'arbres. La route fit deux coudes brusques, découvrant à droite une palissade; au-delà se trouvaient trois ou quatre baraques militaires assez rapprochées les unes des autres, disposées en V devant un mât.

«Près du corps-de-garde, caporal.»

Ils s'arrêtèrent. Personne ne vint au-devant d'eux. Rouse descendit de la voiture et prit le petit sentier qui menait à la porte de la baraque centrale. On vit de la lumière quand il ouvrit pour entrer. Un instant plus tard il revint avec une autre personne; c'était un sergent de la police militaire.

53 Idées sur la civilisation

J'ai certaines convictions qui ont été rejetées par les esprits les plus fins de notre époque. Je pense que l'ordre vaut mieux que le chaos, que la création vaut mieux que la destruction. Je préfère la douceur à la violence, le pardon à l'esprit de vengeance. Somme toute, je crois que le savoir est préférable à l'ignorance et je suis sûr que la sympathie humaine a plus de valeur que les systèmes idéologiques. Je crois que malgré les récents triomphes de la science, les hommes n'ont pas beaucoup changé au cours des deux derniers millénaires et que, par conséquent, il faut continuer à mettre à profit les leçons de l'histoire. L'histoire c'est nous-mêmes. J'ai aussi une ou deux croyances qu'il est difficile d'exprimer en peu de mots. Par exemple, je crois en la courtoisie, cet ensemble de rites par lesquels nous évitons de blesser les sentiments des autres en satisfaisant notre propre moi. Et je pense que nous devrions nous souvenir que nous faisons partie de ce grand tout que par commodité nous appelons (la) Nature. Tout être vivant est notre frère, notre soeur. Par-dessus tout je crois au génie, de source divine, de certains individus, et j'estime toute société qui rend possible leur existence.

54 Un logement pour la nuit

J'étais très fatigué, je laissai donc un porteur chinois, qui avait l'air moins scélérat que les autres, me conduire où il voulait. Nous marchâmes dans l'obscurité profonde des rues sans lumière, et enfin nous nous arrêtâmes devant la porte d'un immeuble d'aspect peu engageant. Le bâtiment entier semblait noir et inhabité. Le porteur chinois tira une sonnette, poussa la porte et entra; je le suivis. Nous nous arrêtâmes au bas de l'escalier, éclairés seulement par la faible lueur de la lanterne du porteur. Puis une porte s'ouvrit dans le couloir en haut de l'escalier et une femme parut, portant une lampe. Je me souviens encore de la grâce de ses mouvements et de la beauté de son visage. C'était une grâce mêlée à une lassitude infinie, et la lampe faisait paraître sur son visage des rides profondes qui devaient accentuer sa tristesse. Elle me conduisit dans la salle de séjour et de sa douce voix française me souhaita la bienvenue.

Nous causâmes un peu cette nuit-là – évidemment il y avait beaucoup de choses qu'elle préférait passer sous silence. Son mari avait été fait prisonnier au cours d'un accrochage (une escarmouche) à la frontière et avait été emmené en Russie. Il était mort ou prisonnier. Elle ne savait rien de son sort . . . Je ne la vis que durant ces quelques heures, pourtant elle est restée pour moi le symbole de ce qui peu à peu disparaît de la vie. Elle avait cette élégance que la pauvreté ne pouvait dissimuler. Elle avait des manières qui la haussaient de l'état de patronne de pension de famille, dans une ville-frontière en un lieu perdu, au rang d'hôtesse qui tient salon.

55 La survivante

L'avion s'écrasa le 10 mai 1954. Il était en route pour les Açores, mais dans le brouillard il avait manqué l'aéroport de Santa Maria. Je me réveillai dans la montagne au bord d'un lac bleu vert et je pensai aussitôt: «Le bananier a dû faire naufrage». Puis je retombai dans le coma.

Il est vrai que j'avais failli m'embarquer sur un bananier qui partait pour les Antilles et faisait escale aux Açores, mais j'avais renoncé à ce projet sur les instances de mes amis . . . Donc, bien que j'eusse finalement opté pour le coûteux voyage en avion par Lisbonne, dans mes rêves j'étais toujours sur le bananier.

Quand je repris connaissance pour la seconde fois, ce fut dans la maison de Robinson. J'étais allongée par terre sur un matelas et, quand je bougeais, je ressentais une vive douleur à l'épaule. En face de moi, dans le halo de lumière qui entrait par la porte entr'ouverte, je voyais un coin du lac bleu vert. Nous nous trouvions, semblait-il, très haut sur le flanc d'une montagne.

Sur ma gauche, dans une pièce de derrière (une pièce plus éloignée), j'entendais quelqu'un bouger. Au bout de quelques instants j'entendis les voix de deux hommes.

«Eh là! » m'écriai-je. Les voix se turent. J'essayai de me retourner, mais cela me fit mal, et j'attendis pendant qu'un homme entrait dans la pièce et venait se placer devant moi.

56 Parmi les dunes

Il avait dû s'assoupir un moment car, lorsqu'il regarda sa montre, il était cinq heures et quart. Un instant il eut peur qu'elle ne fût revenue pendant qu'il dormait et qu'elle ne l'eût quitté. Mais la Morris se trouvait toujours là et les dunes s'étendaient vides et désertes. Le soleil avait chauffé l'intérieur de la voiture. Il transpirait, son dos lui faisait mal, il était vraiment mal à l'aise (il ne se sentait pas bien du tout). Il descendit donc de la voiture et se mit à marcher à travers le sable jusqu'au pied des dunes.

Le sable était meuble et épais. Même là où le sol était plat, c'était pour lui un effort de lever les pieds assez haut pour s'en dégager, et dès qu'il eut atteint la pente raide il constata qu'il reculait presque d'autant qu'il avançait. Il savait que pour monter il fallait faire de petits pas rapides, mais il était très fatigué, et ses jambes ne se déplaçaient que lentement et lourdement. Au bout d'un moment il s'arrêta, haletant. Son coeur battait follement, si bien que toute sa poitrine semblait palpiter, et que sa chemise était trempée de sueur. En se retournant il s'aperçut qu'il n'avait gravi que les trente premiers mètres de la pente, et que maintenant seulement il arrivait à la partie la plus raide. Pourtant, même alors qu'il restait immobile (il avait beau ne pas bouger), le sable se dérobait sous ses pieds et il glissait très lentement en arrière. Quand il s'en rendit compte il fit un effort considérable et se mit à avancer et à monter, labourant le sable avec une sorte de frénésie. Il gagna quelques mètres, puis son effort se ralentit et cessa.

57 Voyageurs affamés

Ils se tenaient au bord d'un escarpement; au nord le terrain s'étalait très loin en une vaste plaine mamelonnée. Au second plan une ville blanche brillait dans la plaine, et à côté de cette ville elle voyait l'éclat argenté d'une rivière.

Jason humecta d'eau la plaie enflammée du bras de sa compagne et murmura:

«Je suis fatigué. Et toi? Je me demande à quelle distance se trouve la ville.»

Elle n'en avait aucune idée.

«Dix milles au moins,» dit Jason.

Elle lui sourit et dit gaiement:

«Je suis capable de faire dix milles à pied».

Il dit: «Tu es forte comme un Turc. Mais il te faudra prendre quelque chose de substantiel avant de pouvoir espérer aller si loin par cette chaleur.»

Le ton de sa voix la ragaillardit. Quand elle avait tenu le couteau sous le coeur de Jason, elle avait fait plus que l'empêcher de se joindre à la bande de Mansur. Maintenant Jason la respectait – pour des raisons, certes, qui n'étaient pas très valables – et redoublait de soins pour elle, comme pour prouver que, malgré la force de sa volonté, elle avait toujours besoin de lui.

Au bout d'un moment il dit:

«Il y a des gens qui viennent du sud. Ils sont dans un creux à présent et je ne les vois plus. Ils doivent avoir de quoi manger.»

Elle dit: «Donne-moi le pistolet.»

Elle tendit la main. Jason avait juré de ne plus voler, mais la faim ne connaît aucune loi. Il dit: «Mais Catherine, il n'est pas chargé.»

Elle répondit: «Donne-le-moi, chéri. Ils pourraient penser que tu veux les menacer. Peut-être sont-ils aussi affamés que nous.»

58 Choix d'un lieu de séjour

«Mais dites-moi d'abord comment vous avez appris l'existence de La Grenadière? »

Je lui parlai du commandant Leroy et de mon père. Widmerpool parut déçu par cette réponse. J'ajoutai que mes parents avaient trouvé les conditions très raisonnables. Widmerpool répondit:

«Ma mère a toujours aimé la Touraine depuis qu'elle l'a visitée lorsqu'elle était jeune fille. Et, bien entendu, comme vous le savez, c'est dans cette région de France qu'on parle le meilleur français.»

Je dis que j'avais entendu un Français mettre en doute cette affirmation (contester cette opinion), mais, d'un geste de la main, Widmerpool écarta ce doute et continua:

«Ma mère avait toujours eu en tête de m'envoyer perfectionner mon français au milieu des châteaux de la Loire. Elle prit des renseignements et conclut que la maison de Madame Leroy était de loin la meilleure des différentes pensions de famille du voisinage. De loin la meilleure.»

Le ton de Widmerpool était tout à fait celui du défi (celui d'un homme très sûr de lui), et je convins que j'avais toujours entendu dire du bien des Leroy et de leur maison. Cependant il ne voulait pas admettre qu'il y eût beaucoup à dire en faveur du Commandant. Pour Madame, au contraire, il avait beaucoup d'admiration. Il dit:

«Je commencerai par vous faire les honneurs du jardin et je vous présenterai.

– Non, de grâce (pour l'amour de Dieu) – Madame Leroy l'a déjà fait.»

59 La mort du vieux père

Le vieux capitaine ferma les yeux; il s'était rendormi, pensa son fils, qui sortit à pas feutrés de la chambre pour demander à la femme qui venait trois ou quatre fois par jour pour soigner le vieillard, quelle serait selon elle la durée de la maladie.

«Oh! ça durera jusqu'à la fin, dit-elle, le regard fixe.

– Il ne va pas mourir? »

Elle ne répondit pas.

Un peu plus tard il rentra dans la chambre et trouva son père allongé, ses yeux pâles ouverts, perdu dans la contemplation de quelque chose qui se retirait dans un passé lointain ou bien dans l'au-delà. Gregory se courba et lui dit doucement:

«Il va falloir que je reparte, tu sais.»

Sa douceur dissimulait une répugnance farouche à perdre encore du temps ici, alors qu'il aurait dû être à son travail. Son père ne dit rien. Son bras remua lentement, très lentement, bâton brun couleur d'algues avec une ancre tatouée au-dessus du poignet; sa main se ferma avec une force surprenante sur celle de son fils. Aussi distinctement que s'il avait parlé, son geste disait: « Ne me quitte pas . . . » «Allons donc,» pensait son fils, «c'est absurde, il va bien, il va durer (il tiendra) des semaines, des mois.» Il partit le soir même, par le train de nuit, et le vieux capitaine mourut avant l'aube; personne n'était là . . .

60 De retour au bureau

Elle s'écarta et annonça qu'il fallait qu'elle parte. Il ne fit aucun effort pour la retenir, ne dit pas un mot, mais se contenta de la reconduire vers le pont inférieur et la passerelle. Là il s'arrêta et tendit la main.

«Enchanté d'avoir fait votre connaissance, Mlle Matfield, dit-il, lui prenant la main.

– J'espère que vous ferez bon voyage, M. Golspie, lui dit-elle précipitamment, et qu'il ne fera pas trop froid, et que la traversée ne sera pas trop mauvaise.»

Puis, sans savoir pourquoi, elle ajouta:

«Et n'oubliez pas de revenir.»

Il eut un rire brusque et sonore. «Ne craignez rien. Vous me reverrez sous peu. Je serai de retour à Angel Pavement avant que vous ayez eu le temps de vous retourner.»

Et il lui serra la main très fort, puis la lâcha.

Elle se retourna une fois et agita la main, bien qu'il lui fût presque impossible de voir s'il était toujours là, puis elle descendit à pas précipités la petite ruelle qui la ramenait peu à peu dans le monde de tous les jours. Lorsqu'enfin elle retraversa London Bridge et regarda par la vitre de l'autobus, on ne pouvait presque plus rien voir de cet autre monde, si ce n'est des lumières miroitantes. Lorsqu'elle se retrouva à son bureau, levant son carnet vers la lampe électrique la plus proche, cet autre monde était infiniment lointain et aurait pu n'avoir jamais existé, si ce n'est en rêve dans le crépuscule d'un jour de novembre.

61 Le langage de Churchill

Son vocabulaire était direct, composé de ces petits mots saxons qui, pétillant, éclatant, atteignent le coeur même de l'auditoire. Il cherchait à exprimer sa pensée par les mots les plus simples, les plus courts, et il apparut par la suite que c'était là ce que le peuple britannique attendait.

Churchill fut lié à une des époques les plus terribles, les plus émouvantes, les plus sublimes de l'histoire, et il fut à la hauteur de ces événements. Peu d'écrivains ont légué à leur pays et à l'humanité un héritage aussi grand de mots inoubliables.

Il était orateur bien plus qu'historien, bien que ses ouvrages historiques ne manquent pas d'importance. Dans *Savrola*, le seul roman qu'il ait écrit, il avait déjà indiqué le secret de son génie.

«Au milieu de la fumée il imagina une péroraison qui pût agir profondément sur le coeur d'une foule; une pensée sublime, une belle comparaison, quelque chose qui élève (propres à élever) leurs esprits au-dessus des soucis matériels de la vie, et qui excite leurs sensibilités. Ses idées commencèrent à prendre la forme de paroles; le rythme de son langage personnel l'émut; d'instinct il se servait d'allitérations.»

C'est ainsi que, près d'un demi-siècle plus tôt, Churchill laissait déjà voir ce que seraient ses plus grands discours et les préparait déjà – ces discours dont ceux qui les liront dans deux mille ans diront encore: «Ce fut là sa plus grande heure et ce sont là ses plus nobles paroles.»

62 Un manque de dévouement

«Je ne pense pas que tu sois heureuse, Rachel,» dit-il. Défiée de cette façon directe, Rachel leva brusquement la tête. «Et qu'est-ce qui te fait penser ça? »

«Tout simplement ceci, ma chère: depuis que je suis obligé de rester couché sur le dos, tu n'as eu pour moi aucune de ces attentions que j'aurais aimé avoir pour toi, si tu avais été victime d'un accident au lieu que ce soit moi.»

S'agrippant aux bras de son fauteuil, il attendit sa réponse. Elle ne répondit pas. Au bout d'un moment il continua avec autant de calme qu'un juge évaluant une cause impersonnelle: «A la clinique, tu m'as fait le moins de visites possible. Quand je suis revenu à la maison, tu m'as totalement abandonné aux soins de Mike Hartigan. Il y avait beaucoup de choses que tu ne pouvais pas faire pour moi, mais il y en avait beaucoup que tu aurais pu faire. Chez Upavon tu avais toutes les excuses, je sais. Tu t'étais découvert un talent merveilleux et tu avais des occasions merveilleuses pour l'afficher. Tu as eu raison d'y consacrer beaucoup de temps. J'en aurais fait autant. Mais même là, bien souvent tu aurais pu rester auprès de moi et parler avec moi; mais tu as laissé voir à tout le monde que j'étais loin de tes pensées.»

63 Prêt à se battre en duel

Mais déjà l'un des autres hommes, à l'autre bout du champ, s'avançait vers eux. Il présentait l'aspect d'une silhouette étrange et solitaire, tandis qu'il marchait délicatement, levant haut le pied à chaque pas, pour éviter d'avoir du sable sur ses bottes. Le médecin le regarda un moment d'un air méfiant, puis s'excusa.

«Je vous confie à notre ami, dit-il. Il a les pistolets tout prêts.»

Ce ne fut que lorsque le capitaine eut vraiment son propre pistolet en main qu'il retrouva son assurance. Mais en serrant le pistolet il oubliait tout, sauf ce qu'il en attendait; il oubliait le froid, il oubliait que ses bottes à semelles minces étaient déjà trempées après la marche; en ce moment il oubliait même Anna.

Maintenant, pour la première fois depuis des mois, il était redevenu le soldat; il fit porter le poids de son corps sur un talon, puis sur un autre, cherchant un bon équilibre, et se mit à viser des cibles imaginaires dans les arbres. De nouveau il ressentit de la pitié pour M. Moritz et il regretta l'enchaînement fatal des circonstances (la nécessité de la chose).

«En tout cas, se dit-il pour se rassurer, d'ici dix minutes ce sera fini, et avant demain j'aurai tout oublié.»

Et, que ce fût à cause de l'imminence de l'action, ou du café cognac que le médecin lui avait fait boire, il commença à marcher de long en large, respirant à pleins poumons l'air embaumé par l'odeur des pins. Il était tout à fait prêt quand le médecin retraversa le terrain pour lui annoncer que son adversaire serait prêt dès qu'il le serait lui-même.

64 Que lui était-il arrivé?

Mon premier soin fut naturellement de voir qui se trouvait sur la plage. Du haut du sentier j'en embrassais toute l'étendue et elle était absolument déserte, à part deux ou trois silhouettes sombres qu'on voyait au loin se diriger vers le village de Fulworth. Ce point éclairci, je descendis lentement le sentier. De l'argile ou de la marne molle se mêlait au calcaire et je voyais de ci de là, à la montée comme à la descente, l'empreinte d'un même pas. Personne d'autre n'avait pris ce sentier pour aller à la plage ce matin-là. A un moment je remarquai l'empreinte d'une main ouverte, les doigts dirigés vers la montée. Cela signifiait à n'en pas douter que le pauvre McPherson était tombé en montant. Il y avait aussi des creux arrondis qui laissaient supposer qu'à plusieurs reprises il était tombé à genoux. Au bas du sentier il y avait la vaste lagune laissée par la mer en se retirant. McPherson s'était déshabillé au bord de cette lagune, car sa serviette se trouvait là sur un rocher. Elle était pliée et sèche; ainsi, à ce qu'il paraissait, il n'était pas entré dans l'eau. Une fois ou deux, en explorant la plage de galets durs, je découvris de petites étendues de sable où se voyait l'empreinte de sa chaussure de toile et aussi celle de son pied nu. Ce dernier fait prouvait qu'il avait tout préparé pour se baigner, bien que sa serviette indiquât qu'en réalité il ne l'avait pas fait.

65 Un visiteur déçu

Il se trouvait près d'Elmfield, où habitait Penelope; pendant quelques instants il se demanda s'il irait voir Penelope ou non. Il ralentit, indécis. C'étaient les vacances; les enfants seraient à la maison; raison de plus pour ne pas y aller. Par contre, étant donnée son humeur attendrie (radoucie), il avait besoin de compagnie, et à part Aylmer ou Jeremy lui-même, il ne connaissait personne de plus agréable que Penelope.

Bon, j'y vais, dit-il, en tournant (manoeuvrant) le volant. Sa propre maison, s'il y retournait, serait vide, cernée par la pluie. Il y avait des douzaines d'amis qu'on pourrait appeler par téléphone; mais il n'avait envie d'en voir aucun. Roulant à bonne allure dans les chemins de traverse étroits, il était de plus en plus content d'aller chez Penelope.

Comme il s'engageait dans l'allée , la maison se découpa claire et accueillante dans l'obscurité; à travers les fenêtres sans rideaux des lumières brillaient comme des torches sous la pluie. Et, comme il s'arrêtait un instant, la porte d'entrée s'ouvrit et Penelope sortit, la tête baissée. Il klaxonna et elle courut à sa rencontre. Elle portait un long imperméable de couleur crème, qui pendait sur son corps svelte comme un manteau clair. Sa tête brune était nue.

«Mon Dieu, Ritchie, que faites-vous ici?
– Je suis venu vous voir.
– Oh! quel dommage!
– Que voulez-vous dire, quel dommage?
– J'ai à sortir (Je dois sortir, précisément).»

66 Une mauvaise chute

Ils pouvaient être séparés de quatre mètres lorsque la jeune fille trébucha et tomba presque à plat ventre. La douleur lui arracha un cri aigu. Elle avait dû tomber tout juste sur son bras blessé. Winston s'arrêta net. La jeune fille s'était redressée sur ses genoux. Sa figure avait pris une teinte d'un jaune laiteux sur laquelle sa bouche se détachait plus rouge que jamais. Ses yeux étaient fixés sur les siens, et son regard semblait l'implorer, avec une expression de crainte plus que de douleur.

Un sentiment étrange remua le coeur de Winston. Il y avait en face de lui une ennemie qui cherchait à le tuer; en face de lui aussi il y avait un être humain qui souffrait et qui avait peut-être un os fracturé. Déjà, par instinct, il s'était élancé pour lui porter secours. Au moment où il l'avait vue tomber sur son bras bandé il lui avait semblé ressentir la douleur dans son propre corps .

«Vous êtes-vous fait mal? dit-il.
– Ce n'est rien. C'est mon bras. Ça passera dans un moment.»

Elle parlait comme si son coeur palpitait. Elle était certainement devenue très pâle.

«Il n'y a rien de cassé?
– Non, rien. Ca m'a fait mal pendant une seconde, voilà tout.»

Elle lui tendit son bras valide et il l'aida à se relever.

67 Il faut tourner la page

Cinq siècles après que ses cendres furent jetées dans la Seine de peur qu'il ne restât quelque vestige de la sorcière, hérétique et relapse, le nom de Sainte-Jeanne d'Arc brille d'un éclat sans tache, en France comme en Angleterre. C'est manquer de générosité que continuer à faire la guerre aux vaincus et il est vain de faire la guerre aux morts. Depuis près d'un demi-siècle les ossements de Sir Roger Casement reposent parmi les tombes anonymes de Pentonville, sans profit pour l'Angleterre et cause de ressentiment en Irlande.

Dans les coins les plus reculés de l'Empire maint rebelle, après avoir été condamné et puni, a rempli plus tard des fonctions supérieures et honorables dans le Commonwealth. Pour beaucoup la faute de Casement peut bien paraître plus grave que celle de ces hommes, et il n'est pas besoin que ceux qui professent cette opinion la désavouent. Casement a voulu poignarder l'Angleterre dans le dos, alors qu'elle luttait pour survivre; et il est difficile pour un Anglais de ne pas penser que son exécution fut juste autant que légitime. Mais il y a longtemps que le droit à l'indépendance, pour lequel il lutta, a été accordé à l'Irlande, et il est naturel que les Irlandais conservent le souvenir du patriote, alors que ses juges anglais ne voyaient en lui que le traître. C'est ainsi que, à l'heure où ces cendres tragiques sont transportées au pays natal, même les têtes anglaises peuvent se découvrir à leur passage. Si abominable que l'on puisse encore considérer son crime, il l'a expié jusqu'au bout; il est temps de tourner la page.

68 Nuit en Afrique

Elle n'aimait pas sortir de son jardin la nuit. Elle n'avait pas peur des indigènes, non: elle méprisait ces femmes qui en avaient peur, car elle considérait les Africains comme des enfants plutôt pitoyables, et était bonne pour eux. Elle ne savait pas ce qui lui faisait peur. Elle respira donc profondément, serra les lèvres, et franchit précautionneusement la barrière, qu'elle referma derrière elle d'un petit coup sec. Devant elle le chemin était comme un ruban blanc et luisant. A son passage le sable recouvert d'une croûte dure jetait continuellement de minuscules points lumineux. De part et d'autre s'alignaient à intervalles de petits arbres trapus; leurs ombres étaient épaisses et noires. Un corbeau de nuit passa comme un trait à travers les étoiles, laissant traîner ses ailes recourbées (en forme de croissant), et la femme serra les lèvres d'un air de défi: allons donc! c'était bien le chemin qu'elle suivait tous les après-midi pour prendre l'air (faire un peu d'exercice). Ces arbres étaient bien ceux pour lesquels elle avait plaidé quand son mari avait voulu les abattre pour en faire du bois de chauffage; en un sens ces arbres étaient les siens. Ralentissant délibérément son pas, comme pour se discipliner, elle s'avança à travers les trous d'ombre, soulagée chaque fois qu'elle atteignait une partie du chemin éclairée par la lune, jusqu'à ce qu'elle arrivât à la maison. Celle-ci était comme morte; on eût dit un cadavre aux yeux fixes, avec ces croisées vides qui renvoyaient à la lune des reflets blêmes. C'est stupide, se dit-elle, c'est stupide. Et elle s'avança jusqu'à la porte d'entrée, l'ouvrit et projeta sur le plancher la lumière de sa lampe de poche.

69 Trop fatiguée

Le lendemain il fit une chaleur incroyable. Le soleil ne se montrait pas franchement, mais du ciel entier, couleur de chair blanche et spongieuse, il émanait une chaleur étouffante. Gregory conduisait; la sueur lui coulait dans les yeux et mouillait ses mains posées sur le volant. Sa femme se plaignait beaucoup, mais lui commençait à trouver la chaleur – pas agréable, bien sûr – mais plutôt étrangement excitante (intéressante).

Ils arrivèrent à Arles tard dans l'après-midi, et Beatrice dit: «Attends dix minutes, le temps de me rafraîchir les yeux, et j'irai avec toi voir les Alyscamps. C'est la seule chose sur notre itinéraire qu'il faut absolument que je voie.»

Il eut soudain un mouvement de colère tout à fait irrationnel: la dernière chose qu'il désirait était de s'encombrer par cette chaleur d'une femme fatiguée qui se plaignait sans cesse et voulait voir avec lui quelque chose qu'il avait compté voir tout seul.

«Bien.»

Il attendit, debout dans sa chambre, essayant de se raisonner et de retrouver sa bonne humeur.

A son grand soulagement, moins de dix minutes plus tard elle entra, pressant sur sa joue un mouchoir trempé d'eau de Cologne, et elle dit:

«Non, je ne peux pas t'accompagner, il fait trop chaud, je suis trop fatiguée.

– Va t'allonger, ma chérie, dit-il. J'irai tout seul.»

Elle lui lança un de ses regards moqueurs: «Tu aimes mieux ça. Très bien, vas-y.»

70 Attente

Parkinson lança:

«Le courrier n'est pas arrivé. J'attends un exemplaire de mon second article. S'il arrive je le mettrai dans votre chambre. Voyons. C'est le six ou le sept? Mieux vaut ne pas se tromper de chambre, n'est-ce pas?

– Ne vous tracassez pas (Ne vous en faites pas).

– Vous me devez une photo. Pouvez-vous, vous et Mme Rycker, me la donner?

– Je ne vous donnerai pas de photo, Parkinson.»

Querry régla la note et chercha le téléphone. L'appareil se trouvait sur un bureau, où une femme aux cheveux bleus et aux lunettes bleues faisait ses comptes avec un stylo orange.

«Ça sonne, dit Marie Rycker, mais ça ne répond pas.

– J'espère que sa fièvre n'a pas empiré.

– Il sera probablement allé à l'usine.»

Elle raccrocha en disant:

«J'ai fait tout mon possible, pas vrai?

– Vous pourriez essayer de nouveau ce soir, avant le dîner.

– Vous n'arrivez vraiment pas à vous débarrasser de moi, hein?

– Pas plus que vous de moi.

– Avez-vous encore des histoires à me raconter?

– Non, je ne connais que celle-là.»

Elle dit: «C'est un sale moment à passer jusqu'à demain. Je ne sais pas quoi faire en attendant.»

71 Le commencement d'une amitié

C'était une de ces soirées dont la qualité ne pouvait être détruite, même par la vue des usines délabrées qui nous entouraient: une soirée chaude, fraîche, tranquille. Nous marchions, nullement pressés de nous connaître plus profondément l'un l'autre. Je pensais que pour l'un d'entre nous, ou pour tous les deux, notre amitié allait peut-être se terminer dans la souffrance et le malheur. L'honnêteté ne nous garantissait de rien.

«Où est votre ami . . . votre fiancé? demandai-je un peu plus tard.

– Il est en prison, dit Betty. Mon frère et lui ont été condamnés ensemble à la prison.»

La vis qui exerçait une légère pression quelque part dans ma poitrine s'enfonça d'un tour. Naturellement je savais que l'on condamnait des gens à la prison (que l'on jetait des gens en prison).

«Je vous raconterai cela une autre fois, dit-elle. Maintenant, à propos de demain, je ne veux pas que vous m'emmeniez encore dîner. D'ailleurs je n'ai pas l'habitude de dîner. Contentons-nous de retourner au parc et après nous pourrons acheter des frites en rentrant.»

J'acceptai.

Nous étions arrivés à un quartier de rues misérables et, à mesure que nous y pénétrions plus avant, elles semblaient le devenir encore plus.

«Je suis presque arrivée maintenant, dit Betty. Ne venez pas plus loin.

– Très bien, Betty, dis-je. A demain.»

72 Dans le désert

Nous repartîmes une fois de plus. Chaque journée vide et interminable finissait au coucher du soleil et recommençait à l'aube. Avant le départ les autres mangeaient des dattes, mais moi je ne pouvais plus supporter ces fruits poisseux et sucrés, et je restais à jeun jusqu'au repas du soir. Heure après heure mon chameau avançait en traînant les pattes, montant toujours, me semblait-il, une pente douce vers un horizon sans bornes; et nulle part dans toute cette étendue vide et éblouissante, faite de sable et de ciel sans couleur, il n'y avait rien sur quoi poser mon regard.

Je remarquais des points noirs, croyant que c'étaient peut-être des chameaux dans le lointain et je me rendais compte seulement quelques pas plus loin que c'étaient des pierres qui se trouvaient juste sous nos pieds. Je m'émerveillais de la façon dont Rai maintenait sa direction, surtout quand le soleil était au zénith. Je savais que les chameaux ne marchent jamais en ligne droite; le mien s'écartait tout le temps vers la droite, en direction de son pays d'origine, et je devais le ramener dans le droit chemin à petits coups de bâton, ce qui provoquait chez moi un état d'énervement constant. Rai et les autres bavardaient à n'en plus finir et ne semblaient nullement se préoccuper de leur destination; pourtant, quand je vérifiais de temps en temps notre direction avec ma boussole, elle ne variait jamais de plus de quelques degrés. Six jours après notre départ de l'Amairi nous arrivâmes au puits de Haushi près de la côte sud.

73 Seul à la maison

Il y avait une odeur de moisi dans sa maison silencieuse quand il y entra. C'était étrange comme le silence et l'âcre odeur de poussière vous frappaient dès l'entrée, parce que vous saviez que vous seriez seul ici pendant des mois. C'était comme la poussière des vieux livres. La maison, toujours trop grande et trop spacieuse pour un homme et un enfant, semblait plus vide et plus grande que jamais, et sentait un peu plus le moisi maintenant que, au long des heures silencieuses du jour et de la nuit, elle n'allait héberger qu'un homme seul. Et à mesure que les jours s'écoulaient, ce vide devenait de plus en plus déprimant. Pendant le jour les choses n'allaient pas trop mal. Le travail bannissait tout ce qui n'était pas lui-même, et il était assez heureux dans son cabinet de consultation rue Queen Anne ou dans l'un de ses hôpitaux. C'était après la tombée de la nuit que la tristesse l'envahissait, alors que Capes avait quitté la cuisine et que toutes les grandes pièces au-dessus de lui ne renfermaient que de l'obscurité. «On court au suicide,» se dit-il une fois, «à rester assis seul dans une grande maison vide avec de grandes pièces vides au-dessus de soi.»

Une chose le réconfortait cependant: c'était que cette solitude pesante prouvait qu'il n'avait pas agi en égoïste en envoyant Jasper à Benfield. S'il avait écouté ses propres désirs, il aurait gardé son fils près de lui pour échapper à la solitude. Maintenant qu'il n'était plus là, prendre un repas était une chose sans intérêt et même triste, tout comme se coucher le soir et se lever le matin.

74 Loin de la patrie

Au-dessus des maisons sombres d'en face la dernière lueur du couchant filtrait à travers les nuages et la fumée. Dans la rue en bas il faisait déjà noir et les réverbères étaient allumés. Là-bas chez nous en Rhodésie, pensait John, en proie à un soudain accès de nostalgie, il y aurait à l'ouest une bande rouge s'étendant derrière les collines et montant bien loin dans les hauteurs du ciel clair. Là-bas le soleil se couchait à une distance de mille kilomètres derrière un horizon sans bornes, et le ciel montait bien haut pour rassembler (cueillir) les étoiles les plus lointaines. Mais ici le soleil, voilé par la fumée, se laissait glisser derrière la rangée des maisons d'en face; il n'existait pas de ciel, seulement une épaisse couverture sale de nuages gris et bas. En ce moment, en Rhodésie, c'était l'automne et non pas le printemps et, le soir, des brumes vaporeuses se formaient au creux des collines où habitait sa famille. On entendait chanter les grillons et coasser les grenouilles dans le calme du soir; les chiens hurlaient à l'horizon et ces bruits faisaient mieux sentir le calme et l'immensité du pays.

A cette heure, s'il était revenu passer les vacances chez lui à la fin des cours de l'École de Médecine, il ferait le tour de la ferme tout seul avec Hector, le grand danois, à ses côtés. Dans les écuries les chevaux piafferaient et se prépareraient à passer la nuit. Sur le terrain réservé aux ouvriers agricoles africains on verrait les lueurs des petits feux sur lesquels les femmes prépareraient le repas du soir. De temps en temps quelqu'un battrait un tambour à un rythme lent et sourd.

75 En Italie du Nord

Des arbres bordaient la route de chaque côté, et à travers la rangée de droite j'aperçus la rivière, aux eaux claires, rapide et peu profonde. Elle était basse, et il y avait des bancs de sable et de cailloux, où coulait un étroit ruisseau, et de temps en temps l'eau s'étalait en miroitant sur le lit de cailloux. Près de la rive je vis des nappes d'eau profonde, aussi bleue que le ciel. Je vis des ponts de pierre qui formaient des arches au-dessus de la rivière, aux endroits où des pistes partaient de la route. Nous passâmes devant des fermes construites en pierre, où des poiriers s'étalaient en espalier tels des candélabres, contre les murs orientés au sud, et où les champs étaient entourés de petits murs de pierre. La route suivit longtemps la vallée vers l'amont, puis nous changeâmes de direction et recommençâmes à monter à travers les collines. La route escaladait la pente raide, déroulant ses lacets d'avant en arrière à travers les châtaigneraies pour atteindre enfin le plat et suivre une crête. Je pouvais regarder en bas à travers la futaie et voir, loin en dessous, séparant les deux armeés, la ligne de la rivière, que le soleil faisait briller. Nous suivîmes la nouvelle route militaire mal nivelée qui longeait le sommet de la crête et je regardai, au nord, les deux chaînes de montagnes, vertes et sombres à la limite des neiges éternelles, et au-delà splendides et blanches sous le soleil. Tandis que la route montait le long de la crête je découvris une troisième rangée de montagnes, enneigées et beaucoup plus hautes, couleur de craie blanche, coupées de sillons, aux parois étranges; puis apparurent encore d'autres montagnes bien au-delà de celles-ci, si éloignées qu'on pouvait à peine dire si on les voyait réellement.